プラズマ現代叢書 2

コロナ危機の超克

黒田寛一の実践論と組織創造論をわがものに

松代秀樹
椿原清孝 編著

プラズマ出版

コロナ危機の超克——黒田寛一の実践論と組織創造論をわがものに

目次

はじめに……11

I　新型コロナウイルス危機を超克するために……15

全世界の「賃金奴隷」よ、今こそ団結して起ち上がろう！　椿原清孝　16
〝「2類」外し〟の危険な転換　16
屁理屈による正当化　17
繰り返される犯罪的施策　18
専門家たちの隷従　21
沖縄の怒り　23
この危機を突破するのは、労働者階級の力しかない！　25
全世界の労働者階級と団結して闘おう！　27
起て！「賃金奴隷」　28

コロナウイルス経済危機　丹波　広　31
一　チェサピークエナジー破産の意味　31
二　金融機関によるローン担保証券の大量購入　34

三　膨大な評価損　37
四　資本の過剰という分析について　39

ゾンビ資本主義　松代秀樹　45

一　レジャー産業の壊滅　45
現実にそぐわない現実描写　45
大内力の「恐慌論的アプローチ」のなかの二つのアプローチ　47
資本家は相対的過剰人口をプールし養う慈善家なのか　49
単線的で直線的な・もののつかみ方　51
恐慌の回避　53
今日の技術化の態様とその諸結果　56
解雇された工場労働者はどこへゆく？　60
インターネットサービス業の飛躍的発展　61
二　国家資金の企業と市場への注入　64
〃禁じ手〃という驚愕　64
ゾンビ資本主義への変貌　66
金融的収奪の強化　68

〃労働力の「価値」貫徹論〃とは何か　山里花子　71
〃労働力の「価値」貫徹論〃とは何か　71
スターリニストが労働力の価値を一定不変のものと捉えるのはなぜか？　73
労働力の価値の本質規定とその価値量の規定との構造的把握について　78
うち破れ！コロナ危機「臨時政府の歌」　集治水風　81
映画「赤い闇　スターリンの冷たい大地で」を観て　円　奈々　85

Ⅱ　コロナ危機にたちむかうわれわれの思想問題　89

黒田さんの批判の矢印をおのれに向けよう　西　知生　90
一　コロナ危機に直面して若き日がよみがえったのでしょうか　90
二　私は私に黒田さんから大きな拳骨をもらったように感じます　95
自己超克の欠如　磐城　健　105
一　〈都合にあわせて七変化!?〉の巻　105
プラグマティズムはやはり「有効」？　108

二〈理論以前〉学　112
あんなに頑張り、闘ったのに…　112
「大岡越前」はいたか！　113
こんなこともあるんだぁ…　114
痛みがない!?　115
問題は　あなた！　そう、そこの君だよ！　117

「規定性の転換に伴う、E_2uへの具体化」という展開について　山田吾郎　120
カテゴリーの実体化　121
実践の事物化　121
当時のAへの批判に立ちかえり、さらに私の限界を深める　122

マルクスの「となる」の論理をおのれのものとするために　桑名正雄　125
一　観念論的解釈　125
ことの発端　126
俺流の「規定性の転換」　127
俺のハイマート　128
「る」と「た」の恣意的解釈、その結末　129

理論領域とアプローチの無視、無自覚 131
なぜ、マルクスに学ばないのか？ 132
コジツケ 135
まじめに読んでいるのか？ 136
変革的実践の立場にたとう 139
ベニヤ製作の自己流解釈 141
空隙をかかえたままの主体 143
二　梯子をはずされた！ 144
三　黒田さんの一論述への疑問 146
天然資源という規定が妥当するところのものを〃可能的天然資源〃とよぶのか 146
「であろう」の意味 149

Ⅲ　反スターリン主義運動を再創造しよう

……151
革マル派の終焉　『黒田寛一著作集』刊行の意味するもの　椿原清孝 152
一　「世紀の巨人」!?――同志黒田の〃超人格〃化＝神格化 153
1　「ただ一人」!! 154
2　「世紀の巨人」!! 156

3　神格化への飛躍　157
4　最後の「延命」策　158
二　〈脱・革マル主義〉の完成　159
1　「革命的マルクス主義の立場」の蒸発！　159
2　「反スターリン主義」の放棄　160
3　「場所の哲学」の破壊　161
4　主体性を失い創造性を喪失した「信徒集団」への転落　162
『黒田寛一著作集』（全四十巻）の刊行じたいについて　164

「ヒラリー、ざまぁみろ！」とは?!

「トランプの勝利」は「人民の叛逆」なのか?!

何が問題なのか？　佐久間置太

167
一　前回の論議で浮かびあがった現実的な対立点について　169
1　「ヒラリー、ざまぁみろ」について　169
2　茅ヶ崎論文の「職の奪い合い」について　171
二　前回の論議において受けた主要な批判について　175
三　党組織の現状についての私の懸念　180

トカゲの尻尾きり──革マル派指導部による「常任解任」の処置　黒島龍司　186
一　「川韮発言」とは　187
（１）分科会での論議の破壊　187
（２）思想的頽廃の極み　188
（３）「加治川との闘争」という自己保身的・政治的な「組織決定」　191
二　川韮一人の「特殊な問題」として切って捨てた革マル派官僚　193
（１）自己断罪する川韮　193
（２）「川韮以下」の質を示した革マル派官僚　195
（３）奥島の自己保身　196
（４）川韮以下の「唯物主義」　197
三　「組織はヒエラルキーだ」と叫ぶ革マル派指導部　201
「組織哲学」とは何か？　東田寛子　203
一　三回の踏み絵を突きつけられて　203
踏み絵　203
〝禍根〟　206
総括の回避　208
比久見のめざす「党」とは？　210

決意　212
二　革マル派現組織の「溶鉱炉」の底に溜まる燃料デブリ　213

討論記　辛島翠水　220
第一回〜第一五回　220
質問状／かつての同志への手紙／私の自己形成過程　259
第二期 第一回〜最終討論 収束顛末記　270

〈表紙の絵〉一九五六年ブダペスト、地雷に見せかけるためのスープ皿を持つハンガリーの少年

野原千冬　画

はじめに

新型コロナウイルスの感染者は、全世界で四〇〇〇万人に達しようとし、それによる死者は一〇〇万人を遙かに上回っている。治療薬や、ワクチンの開発が進められているが、それはなお、明確な見通しが出ているわけでもない。世界最大の感染国・アメリカ、中国に続く巨大人口国・インドでの感染拡大はなお続き、再度の・より急速な感染の拡大にみまわれているヨーロッパ、そしてわが国でも感染の勢いはなお続いている。それだけではない。北半球では冬の到来とともに、インフルエンザの流行が追い打ちをかける懸念が高まっている。この先、長期にわたり世界の民衆は苦難を強いられるであろう。

このような中で、「コロナ禍」という言葉がほとんど日常用語化している。だが、注意せよ！　この語は、いわば自然現象としての新型コロナウイルス感染症のもたらす災いというような意味で用いられる場合が多く、コロナ危機の社会的意味を没却させる〝装置〟にすらなっていることに。しかも、コロナウイルスがもたらす災いというような意味での〝コロナ禍〟と、新型コロナウイルス感染症が蔓延しているさなか（進行中）といういみでの〝コロナ下〟とが混淆するような形で用いられてもいる。これは、かつての〝欲しがりません、勝つまでは〟という標語を想起させるような、人民大衆に忍従を求める風潮が醸成されていることの一表現であると言える。

言うまでもなく〈コロナ危機との闘い〉は、「ウィルスの脅威」や「自然の猛威」との闘いにつきるわけではない。われわれは、七月に刊行した『コロナ危機との闘い』を中心として、コロナ危機そのものの政治経済学的分析を深め、その社会的思想的意味を問うてきた。そしてこの闘いにおいて同時に、日本反スターリン主義運動そのものを再創造することが問われていることを訴え続けてきた。

本書『コロナ危機の超克』において、われわれはコロナ危機そのものの下向的分析を通じて明らかにしてきた〈現代社会の病理〉を見つめ、その超克を訴えるとともに、そのような闘いを可能とする主体的拠点はいかにあるべきかを問い、明らかにすることを課題とした。そのために執筆者たちじしんが、この課題に懸命にとりくむとともに、それを通じてまた、おのれ自身を現代社会変革の主体として鍛え上げてきたのである。

首相としての在任期間の最長記録を達成した安倍が辞任し、九月一六日に菅内閣が成立した。痛苦なことに、この転換は日本の人民大衆の闘いによってもたらされたものではなかった。

実際、菅政権は、悪行のかぎりを尽くした安倍政権の継承者として、安倍政権がつくりだした土壌のうえに、さらに悪行を積み重ねつつある。日本学術会議が推薦した学者たちのうち六名を選別して任命することを拒否したのは、ほんの手始めである。菅政権は、今や学術会議そのもののあり方を「見直す」と称して、学術会議を骨抜きし、それを翼賛団体に、〈学術報国会〉とでもいうべきものに換骨奪胎することに公然と着手したのである。日本型ネオ・ファシズム支配体制をさらに一層強化するために、彼らは差し障りとなるものはすべて力で圧服することを宣言したのである。

このような安倍後継・菅政権の反人民的諸策動を、われわれは労働者階級の階級的団結の力をもって粉砕するために、闘おうではないか！　野党や労働運動の既成指導部の日本国憲法に依拠した指導をのりこえ、この闘いに起ち上がろうとするすべての労働者・学生・知識人・市民の皆さんが、そのために本書を活かされんことを願う。

二〇二〇年一〇月一二日

編著者

I　新型コロナウイルス危機を超克するために

全世界の「賃金奴隷」よ、今こそ団結して起ち上がろう！

椿原清孝

〝「2類」外し〟の危険な転換

二〇二〇年八月二四日、政府の新型コロナウイルス感染症対策「分科会」の脇田隆字（前・専門家会議座長）は、同感染症の拡大が七月二七～二九日をピークとして下降局面に入ったとの認識を打ち出した。同時に、分科会では新型コロナ感染症を指定感染症の「2類」から外す方向で一致した、とされる。「2類」とは、結核やＳＡＲＳと同等で、感染者には「入院勧告・就業制限」が行われるというものであり（二月に指定）、この「指定」をはずすということは、検査で感染が判明していても、無症状や軽症の感染者の場合には、入院措置をとることなく、宿泊施設や家庭で〝療養〟させる、というものである。加えて、新規に判明した感染者数をいちいち公表するというような〝面倒な〟ことをしなくて済む、というようなことをも彼らは語っている（例えば、「分科会」会長で、前・専門家会議副座長の尾身茂）。

そして、そのような〝見直し〟が必要な理由としては、秋からはインフルエンザの流行が予想されるため、多くの病床を確保することが必要だから、というのである。

これは極めて危険かつ犯罪的なことである！

屁理屈による正当化

たしかに、八月後半には新規感染者数が若干低下傾向にあるとはいえる。（もちろん、傾向はいつ逆転するかもしれない。）また、日本で現在多く感染者が出ている「東京型」は、「武漢型」や「欧米型」と比較して弱毒化しているという可能性も指摘されている。

だがしかし、現在日々報告されている新規感染者数は、そもそもＰＣＲ検査数の絶対的少なさからして、実際に感染しているであろう人びとのほんの一部にすぎないことは明白である。また感染が判明しても、軽症者や無症状者に治療措置・生活保護策をとらず、単なる宿泊施設や家庭での〝療養〟に委ねるならば、せっかく検査を受けて感染が判明したそれらの人びとから、さらに多くの人びとに感染が拡大することは火を見るよりも明らかではないか。「家庭内感染」が増えている、という報告からもそう言える。（またウイルスは変異によってどうにでも〝進化〟する。いつ何時、新たな変異によって強毒化するかも知れない。）

新型コロナ感染症のさらなる蔓延を抑止するために絶対的に必要なことは、ＰＣＲ検査を十全に実施し、たとえ軽症や無症状であったとしても、感染していることが判明している人びとは、重症者とは別コースの医療的保護・生活保障のもとにおき、治療・療養を促すことなのである。（感染判明者の症状の変化に応じて、コースは変えればよい。）それなくして、感染拡大を抑えることはできないことは火を見るよりも明らかではないか。因（ちな）みに、中国では軽症・無症状者を医療的保護のもとにおく施設として「方舟病院」が大々的に建設された。また韓国では同様の施設が「生活医療センター」として大々的に活用されたのであったが、安倍政権は隣国でのそのような措置のそれなりの奏功をも無視し、そのような措置をとらず、これまでも軽症者・無症状者は、宿泊施設か自宅での療養を促すという方策を多用した。その結果が、今日の再びの感染拡大なのである。

このような自明とも言うべき必要策をとることなく〝ピークアウト〟を条件として上のような転換をはかっている。しかし、新型コロナウイルスの感染拡大とインフルエンザの流行との同時進行に備えて病床に余裕をもたせるためだとするのは明らかに屁理屈である。同時進行が予測されているのであればなおさらのこと、感染拡大の回避措置が必要であることは自明である。実際には、「感染第二波の真っ只中」と言われている時にさえ、専門家たちの反対意見をも蹴飛ばして〝Go To Travel〟キャンペーンを強引に実施したことに示されているように、安倍政権は巨大独占企業をはじめとする資本主義的諸企業を救済するとともに、政権の安泰をはかること、そのためには、新型コロナウイルス感染症が拡がり続けることをも厭わない、という姿勢を鮮明にしたのである。いわゆる経済界の要望に応えるために、あえて打ち出しているのが、上の屁理屈なのである。費用のかかる医療・保健・福祉体制の充実に、これ以上カネを使いたくない、ということもまた彼らの本音であることはいうまでもなかろう。

繰り返される犯罪的施策

このような屁理屈は、彼らがこれまで用いてきた理屈と同じではないか。

今春の感染急拡大の時期に、ＰＣＲ検査を極力抑えてきたのが彼らであるが、その際には彼らは〝検査の拡大によって感染判明者が増えると軽症者でも無症状者でも入院などの措置が必要となり、重症者への対応に支障が出る〟というのが、その理由であったではないか。まさにその結果が、感染の拡大であった！

今日、「第二波」と言われている感染拡大は、政府が大規模なＰＣＲ検査の実施を拒み（保健所その他の検査の態勢を強化することさえせず）、さらには重症者・中症者の治療にのみシフトし、軽症者や無症状者については、実際には「２類」の規定にも反して、宿泊施設や家庭での「療養」を促してきた結果である。（もちろん、他方で中・重症者にたいして手厚い施療がなされたことも、また献身的に治療にあたる医療従事者たちを保護するための施策が十全に施されたことも意味しないのであるが。）重症者を治療し「死者を出さない」ことを名分として、軽症者や無症状者の対策を軽んじてきたのである。――埼玉では、軽症を理由として「自宅療養」とされた若い感染者の容態が急速に悪化し死に至った、という例も報告されている。大野埼玉県知事は、この事態を重く受けとめて、改善を図ったのであったが、安倍政権そのものは軌道修正すら行わなかった。同様の事態で、報道されていないケースも多々あるにちがいない。

安倍政権下でのＰＣＲ検査の抑制は、さまざまな言い訳でカモフラージュされていたけれども、明確な国家意志のもとに行われたことは明らかである。千葉県松戸市の企業（日立系と言われる）が開発したＰＣＲ検査機は、短時間で多数の検査を実施することを可能とするものであったにもかかわらず、政府はそれを認可せず、国内での使用は不可能であった。実際にはその装置は、フランスなどで使用され、威力を発揮した。開発した企業は、フランス政府によって讃えられ、フランスは諸外国にも供与するほどであったにもかかわらず。また、韓国で多用された〝ドライブスルー〟方式や〝ウォークスルー〟方式でのＰＣＲ

検査は、日本ではごく一部でしか実施されなかった。このような事実にも、安倍政権がＰＣＲ検査を抑制したことが露骨に示されているのでる。

もちろん実際には、政府がＰＣＲ検査を抑制したのは、「景気」のためであり、東京オリンピック開催のためであり、「インバウンド」の呼び込みのためであった。だから、ためにする屁理屈だというのである！

そしてまた、このような政策によってもたらされた感染拡大を乗り切る算段として彼らが打ち出したのが、人びとの行動や企業活動の抑制という施策であったといえる。しかも、このような施策によってもたらされる「経済」の収縮と後退を乗り切るために、今度は各種の〝Go To〟的施策をとるという袋小路に彼らは陥っている。そして、このような自転車操業的乗り切り策を批判する人びとにたいして、彼らは「経済を動かす」ことが重要だと恫喝しているのである。

こうして、明らかに新型コロナウイルス感染症の症状が見られる人びとでさえ、ＰＣＲ検査を受けにくい・受けることが出来ない状況をつくりだしたのは、安倍政権なのである！　わざわざ「三七・五度の発熱が四日間以上」等というハードルを設けることにより、どれだけの人びとが待機させられ、その間に重症化し、さらには死去したか！　死には至らなくても、不安な日々に追い込まれたり、さらに生活苦に突き落とされたりしたのか！　われわれは、具体的には知り得ない。（その後、このハードルについては、「誤解」だなどという呆れたな言い訳もなされた。許しがたい欺瞞ではないか！）

しかし、このような抑制政策のために、ＰＣＲ検査を受けて陽性が判明したときには既に手遅れとなっていた人びとの名をほんの一部知らされた。女優の岡江久美子であり、力士の勝武士である。彼らは有名人であったり、話題性があったりという事情でマスコミに取り上げられたからである。前者は、高熱を発して病院で診察を受けたにもかかわらず、自宅に追い返された。再び他の病院に入院したときは手遅れであった。後者は、同じく高熱を発し、所属する高田川部屋の親方他の尽力にもかかわらず、検査を受けられず、同様に手遅れとなった。糖尿の持病をもっていたとはいえ、二八才の若さで死去したのである。何と不憫なことか！

彼の死去について、白鵬大学教授の岡田春恵は、テレビ番組の中で、次のような主旨のことを公然と言った――〝勝武士さんは、コロナウイルスではなく、医療体制の不備によって殺された〟のだと。

勝武士、哀れ！　安倍政権が、彼を殺したのだ！

〔八月二八日午後二時、「安倍首相、辞任の意向を固める」との報道あり。〕

専門家たちの隷従

今日、「分科会」に属し政府の意向を代弁しているかに見える医学者たち。その中心メンバーは、かつて「専門家会議」の中軸であった。六月二四日の記者会見で、彼らは上記の脇田（座長）を軸にして、〝専門家会議が政策を決めているかのような印象を与えてしまったが、政策に責任を負うのは政府であり、専門家との役割を明らかにすべきだ。同じであるかのように見られることがあったことを反省している〟という主旨の発言をした。ところが、専門家会議の面々（尾身、脇田、岡部信彦）が記者会見を行っているまさにそのときに、政府の新型コロナウイルス感染症対策の担当者である西村経済再生担当大臣は「専門家会議」の廃止と、新たに「分科会」を設置することをマスコミに発表したのであった。会見中にその事について記者から質問された尾身は、意味がわからず「えっ、もう一回言って」と聞き直すという当惑ぶりを示したのであった。そのような重要な転換について、専門家会議副座長である尾身にすら知らされていなかったのである。(後日、なんとその尾身が「分科会」の会長となった。本当に知らなかった？ ひょっとするとオトボケか？) 西村の発表は、明らかに専門家会議の面々にたいする恫喝という意味をもつものであった。

なぜなら、専門家会議の面々は、〝反省〟の名のもとに、政府の新型コロナウイルス感染症対策に関する非難を自分たちが受けることに不満を表明したといえるからである。この時期には、専門家会議の面々と政府の担当者たちとのあいだには、かなりの軋轢が生じていたと思われる。その内実については、必ずしも明言されていないが、少なくとも次の二点は、浮き彫りになった。専門家たちの側から言えば、

その第一は、政府のやり方ではPCR検査が少なすぎること、もっと増やすべきであったこと。

その第二は、彼らが、無症状の感染者（いわゆる〝サイレント・キャリア〟）からも他の人に感染させることがあることを周知させるべきだと主張したのに対して、〝そんなことをしたらパニックになるからダメだ〟として政権側が抑え込んだというのである。

このことは極めて深刻である。今日、六月後半以降の感染急拡大が「第二波」と呼ばれているが、それは若者たちの感染判明が急増したことに端を発する。このことは、感染していても軽症にとどまるか無症状だった若者たちの間で、感染が広く深く進行していたことがついに表面化したことを意味する。

専門家たちの意見をも押さえ込み、ＰＣＲ検査を抑制し、感染拡大の隠蔽につとめた政府の悪行が、多くの感染者・被害者をもたらしたのである！ その犠牲の象徴が、岡江久美子であり、勝武士であったの

だ！

だが、政府は鉄面皮にも、また同じ犯罪を繰り返しつつある。

そして、専門家たちは、〝経済が回らなくなったらもっと大変だ！〟という恫喝に屈したのであろう。再び政府の犯罪に加担するのであろうか。その罪は、最初の非抵抗による犯罪より重いことを自覚すべきではないのか。

〔なお、ドライブスルー方式を導入したり、ニューヨーク州のクオモ知事のやり方を学んで〝いつでも、誰でも、何度でも〟ＰＣＲ検査を受けられるようにする、という「世田谷モデル」を導入したのが、世田谷区長・保坂展人である。このようにごく一部の地域・企業では政府の抑制策に抗する施策がとられた。〕

沖縄の怒り

沖縄では七月以降に感染判明者が激増し、人口当たりの感染者数は、東京を上回り全国一となった。感染者数の累計でも、ついに北海道を上回り、東京・大阪・神奈川・愛知・福岡・埼玉・千葉・兵庫に続く二〇一三名となっている（八月二七日）。巨大都市を含む人口密集地域と肩を並べる増加ぶりである。

沖縄では、永く米軍基地内でのクラスターの発生が隠蔽され、その間は米軍関係者の基地外での行動が野放しにされ、基地外への感染の拡大がもたらされたであろうことは明かである。基地内で働く沖縄の人びともまた感染の危機にさらされた。（米軍の原子力空母二隻で新型コロナ感染症が蔓延し、感染した兵士の救援を求め、警鐘をならしたセオドア・ルーズベルトの艦長が解任された。この事態に象徴されるように、米軍が新型コロナ感染症の坩堝となっていることが発覚することを恐れて、米政府はひた隠しにしてきたのである。)

それだけではない。県当局の発表によれば、那覇市の繁華街(いわゆる「夜の街」)では、東京などからきた若者たちからの沖縄の人びとへの感染が激増した。新宿をはじめいわゆる「夜の街」での店舗の休業によって仕事と日銭を失った若者たちが流入したのだという。これは、歌舞伎町などで営業する各種の店舗に、東京都が「緊急事態宣言」にもとづいて休業を求め、協力店に一定の「協力金」なるものを支給したとしても、そこで働いてきた人びとへの休業補償・生活保障がなされていないことの結果である。

また最近の報道では、東京ではPCR検査を受けることができても受けることを希望しない人が増えている、という。これはPCR検査拡充の意味が薄らいでいることを何ら意味しないし、検査数が少ないことを正当化しうる事態でもない。費用負担の問題だけではなく、おそらくは重症化するケースが比較的少ない若者のあいだで、検査を受けて感染が判明するとかえって不都合=生活できなくなる、という意識に陥る人が増えているということであろう。であれば、彼らもまた感染拡大の予備軍に追い込まれることになりかねない。さらには、〝Go To Travel〟に伴う人びとの大量移動の影響もまた襲うだろう。

沖縄は、またしても日米軍事同盟の生け贄とされ、日本社会の矛盾のしわ寄せ先とされている、と言わなければならない。

この危機を突破するのは、労働者階級の力しかない！

これまでは、感染者や死者の実体的構成については、ふれなかった。一般には、高齢者ほど重症化したり、死亡したりする危険が高い、と言われている。それはそうであろう。この点については、データも示されている。

だが同時に、それらにおける階級・階層的な構造もまた明らかにしなければ、社会的意味は明らかにならない。しかしそのような統計資料が公表されることはなく、われわれは知りえず、推論するほかない。多くの労働者が、そして住環境や交通事情にも恵まれない人びとが犠牲となっていることは推測に難くない。

最近の新聞やＴＶでは、田舎への〝疎開〟者が増えている、という。たとえば東京に住まなくても、〝テレワーク〟が出来るから、ということが理由として紹介されている。しかし、そのようなビヘイビアが可能なのは、企業経営者であれ、労働者であれ、一定の資力がありそれなりの職業的技術・技能をもつ人にかぎられる。労働者の大多数は、たとえ感染の危険性が大きいと感じられても、その職場にしがみついて生きていかざるをえない。われわれ一般の労働者は、資本家や資本家的経営者、さらに一部の上級労働者とは異なる、悪い就労環境で働き、低レベルの居住・生活条件のもとに生きている。それは同時に、新型コロナウイルス感染症にも陥りやすい条件のもとで生活していることを意味する。

いやそもそも、われわれ労働者は、自らの労働力を商品として販売し、それによって得た賃金によってしか命をつなぐことができない存在である。労働者は、通勤途上で、また労働現場そのもので、その他の必然的に立ち寄る様々な場所で、感染の危険が感じられても逃げることもできない。労働現場での感染回避のための諸施策なども、仮に労働組合が存在していても、十全に実施されうるわけではない。企業経営者が従業員の感染による事業の停滞・破綻を恐れて、種々の対策をとっているということにかなりの程度依存する形でしか、実際には実現されえてはいない。それは今日の労働組合の多くが、「連合」のもとで〝御用組合〟化していることにもとづく。

〔それでもわれわれは、自分自身の、家族の、そして仲間達の健康と命を守るために、様々な工夫を凝らして頑張っている。安倍政権の反人民的な諸政策にもかかわらず、諸外国に比して日本人の感染者数が比較的に低いレベルにとどまっているのは、労働者・人民自身が与えられたかぎりでの感染防止策をも〝活用〟して、自分自身・家族・仲間を守るための、また仮に己が感染していても他者には移さないという心配りを我慢強く続けてきたからである。また感染者が死亡した比率は、二％弱となっており、諸外国と比べて低いのは、保健・医療従事者たちの献身的な活動と辛苦に助けられてのことであることを、われわれは忘れてはならない。〕

しかも、資本家に解雇や雇い止めを通告され、そのような職場からすら追われている労働者も極めて多い。

先の「夜の街」関連の従事者たちもまた、ところを変えて同じ仕事を探すほかない状況に追い込まれている、といえる。これを「自己責任」で済ませることは決して出来ないのである。

ロンドンでは、短期間のうちに、二〇名ものバス運転手が新型コロナ感染症で死亡したことを想起せよ。

安倍政権は、政府・日銀による実質的な資金注入によって辛くも維持されている独占資本主義「経済」の防衛のために、労働者階級を二重の意味で、犠牲に供しているのである。

まさにこのように、コロナ危機のもとで辛苦をなめるわれわれこそが、そして元々の「経済」なるものの真っ只中で、厳しく搾取され、諸権利を奪われ、〝奴隷〟化されてきたわれわれ労働者階級こそが、この危機を真に主体的に突破しうる存在であることを自覚し、起ち上がるのでなければならない。

労働者階級・人民をコロナ危機の生け贄とする安倍政権を打倒しよう！

「安倍退陣」などに惑わされることなく、数々の悪行を繰り返してきた安倍・自民党政権を、今また悪行の上塗りを図っている政権を弾劾し、労働者階級・人民の力で打倒しよう！

「敵基地攻撃能力の獲得」を軸に、軍事力の飛躍的強化・日米軍事同盟の強化に奔走する自民党政権を打倒しよう！

またぞろ選挙準備にのめり込み始めた野党諸勢力、既成労働運動指導部をのりこえて闘おう！

全世界の労働者階級と団結して闘おう！

アメリカでは、「黒人」の感染・死亡率が「白人」に比べて極めて高いことが問題となっているが、その「黒人」の多くは賃金労働者である。彼らの祖先は文字通り「奴隷」としてアフリカからアメリカに連れてこられた。彼らは奴隷制が廃止されて久しい今日においては、多くは賃金労働者として、しかも下層の労働者として働いている。彼らは劣悪な労働・生活・住環境（たとえば、いわゆるスラム）のもとで、多くが新型コロナウイルス感染症に罹患し、多くが死に至っている。

〔同様に、シンガポールやマレーシア等で働く移民・出稼ぎ労働者は、日本で〝たこ部屋〟とか〝蚕棚〟とかといわれたような住環境で、新型コロナウイルス感染症に苦しんでいる。ブラジルのファベーラでも同様である。さらには、米中対決を基軸として激動する現代世界では、反戦・平和の闘いの消滅のゆえに、各地で戦火が拡がり、多数の死者を出し続けているのみならず、難民となった労働者・人民が食糧・住居の欠乏のゆえに、新型コロナ感染症に苦しんでいる。〕

このような現実に深い憤りをいだく彼らは、また同時に今、「白人」警官による相次ぐ「黒人」射殺・銃撃事件を弾劾し、良心的な「白人」たちとともに、団結して立ち上がりつつある。だが二一世紀の今日においても「黒人の命も重要だ！」というスローガンが掲げられなければならないとは、何という悲劇であろうか！――これこそ、スターリン主義の破産と崩壊がもたらした現代階級闘争の姿である。

起て！「賃金奴隷」

マルクスは、近代の賃金労働者を「賃金奴隷」と呼んだ。これは、近代の賃金労働者を、その実態の分析に基づいて一般的に規定したものであり、もちろん労働者をその出自から見たものではない。労働者はおのれの労働力そのものを資本家に売り渡し、その対価を賃金として受け取ることによってしか命を繋ぐことができない。「自由で対等な」労働契約そのものを通じて労働者は搾取されている。「自由と民主主義」は、かつてブルジョアジーが封建勢力と闘うイデオロギー的武器であったが、彼らが〝天下〟を取ってからは、それは賃金労働者を労働力商品として固定化させ、資本の支配を正当化する理念となっている。マルクスは、このような労働者を近代における「賃金奴隷」と呼んだのであった。

アメリカの黒人労働者たちの現実に想いを馳せるならば、まさにこの「賃金奴隷」というマルクスの言葉が想起される。トランプの「偉大なアメリカ」の、いや「自由と民主主義の国」アメリカそのものの素顔がこれである。アメリカの「黒人」たちは、「奴隷としての過去」になお縛りつけられているかのようにも感じているであろう。彼らが白人による黒人差別を弾劾することは当然のことではある。

だが、「自由と平等」な契約関係そのものの問題性を、その止揚を考察するならば、アメリカの黒人労働者の実情は、プロレタリア的普遍性をもつのであって、黒人たちの闘いも、また彼らと連帯する白人たちの闘いも、「自由と平等」を理念とする人種差別反対の闘いに切り縮められてはならない。労働者階級は「白人・黒人」の人種の壁をのりこえ、階級的に団結して闘う以外に、新しい未来・新しい社会を創造することはできない。

その闘いは「自由と民主主義」の地平そのものを超克することによってしか勝利しえないのである。それは破産したスターリン主義をその根底からのりこえて進む反スターリン主義運動の再創造を思想的組織的根拠としてのみ、かちとりうるであろう。

アメリカの「黒人」労働者について言えることは、全世界の労働者に妥当する。在来の労働者も、移民労働者も、出稼ぎ労働者も、団結して闘おう！

ゾンビ化した国家独占資本主義のもとで苦悩する労働者階級も、官僚制国家資本主義のもとで呻吟する労働者階級も、ともに闘おう！

世界では、新型コロナウイルス感染者は三〇〇〇万人を超え、今もなお毎日二〇〜三〇万人の人びとが新たに感染し、一万人近い人びとが命を落としている。

コロナ危機の試練にうちかち、労働者階級の団結をさらに強く・広く・深く推し進めよう！

わが探究派は、反スターリン主義の立場を堅持し、磨き上げ、全世界の労働者階級の前衛へとみずからを高めるために、闘う。ともに闘わん！

二〇二〇年八月二八日

コロナウイルス経済危機

丹波広

一　チェサピークエナジー破綻の意味

二〇二〇年六月二八日に、アメリカのシェールオイル大手のチェサピークエナジーが経営破綻した。三月末時点の負債総額は九五億ドル（一兆一〇〇億円）にのぼる。法的整理によって約七〇億ドルの負債を削減する。つまり、現時点で破産手続きをしても、二五億ドル（二六〇〇億円）の債務不履行となるわけである。アメリカ連邦準備制度理事会（ＦＲＢ）が四月九日にジャンク債（投資不適格債　格付けＢＢ以下の社債）の購入を開始した。このことによって、シェールオイル企業が破綻必至である、という情勢をのりきることができるのではないか、という見通しが語られていた。がしかし、それは幻想であることが露わとなったのである。

アメリカ政府・ＦＲＢの思惑は、直接にはシェールオイル企業の採算割れが四〇ドル／バレルであるから、一時ＷＴＩ原油五月先物価格がマイナス三六ドル／バレルに史上初めて達したほどまでに原油価格が下落していることからして、シェールオイル企業が次々と経営破綻する可能性が高まったこと、これを何としても回避することにあった。こうして、アメリカ政府・FRBは、実質上デフォルト（債務不履行）におちいっているにもかかわらず、ただ、財務上で資金を継ぎあて、経営破綻することを先のばしする、つまり死に体のままで存続させようとしてきたのである。

シェールオイル企業だけではない。ジャンク債を発行し、これを売却するというかたちで資金を調達することに依存しているあらゆる諸企業を、直接に国家資金を注入することでもって支える、という驚くべき方策をFRBはとった、ということなのである。だから、これをわれわれは、アメリカ政府がみずからの主導のもとに、ゾンビ資本主義というかたちで、米欧日の帝国主義経済を延命させることに踏み切った、と暴露した。だが、しかし、今回のチェサピークエナジーの経営破綻という事態は、彼らの延命策の破綻＝終わりのはじまりである。

そもそも、たとえ、FRBが、シェールオイルその他の財務が悪化した諸企業に社債（ジャンク債だ）を発行させ、これを買いとろうとしても、不良債権が優良債権になるわけではない。消失した商品需要、つまり原油需要を創出することは不可能なのである。債務は、膨れ上がる。チェサピークは現時点においてすべて債務を整理しても二五億ドル（二六〇〇億円）の債券が紙切れと化すわけである。他の諸企業も膨大な負債を負い続け、さらに時間とともに膨れ上がり続けるのだから、とてもゾンビ企業として生き（?）続けられるわけがない。諸企業は多額の債務に圧倒されて支払い不能に陥り始めたのである。

いや、いまや時限爆弾ともいうべきものがその規模を膨れ上がらせつつある。投資不適格級の諸企業は資金調達をローン（銀行からの融資）でおこなってきた。その場合に銀行は格付けでBB以下の企業にたいしては高金利のレバレッジドローンというかたちで貸し付けている。しかし、その際に銀行は、企業に資金を貸し付けると、ただちに、こうしたレバレッジドローンを寄せ集めて金融商品に組み替え、売却してきたのである。これが、CLO＝ローン担保証券というハイリスク・ハイリターンの——債権を証券化するという金融技術で開発された——金融商品である。だから、銀行はもはや企業を破綻させるにもその企業の債務整理を簡単にはできない。ジャンク債も債券の上場投資信託（ETF）に組み込まれていて、その整理などといっても複雑さを増しているからである。

三月末にアメリカ市場で債券価格が暴落した。この事態に驚愕したFRBがジャンク債、CLOまでをも買い取ることにふみきった。これは全企業を国家＝中央銀行が資金を注入して支えるという意味をもつ。がしかし、FRBがジャンク債やCLOを買いとり、こうすることによって、債券価格・株式価格の暴落という金融市場の崩落を阻止する、という思惑は、早晩破綻するだろう。膨大な数にのぼる投資不適格級の企業や、フォーリンエンジェルとよばれる、BBBから格付けを落とされ非投資適格級とされた企業を、すべてFRBが資金注入によって支える、などというのは、実質上、公的管理下におくに等しいのだからである。だが、彼らはそうせざるをえない。これは、政府・FRBがアメリカ経済の国家的な統制にふみきることを決断したものである、といわなければならない。そのようにはあらわとならないように、である。「自由な資本主義市場経済」が続いているかのように見せかけるために。なによりも、金融市場での投機的な資金運用によって金融活況を意図的にうみだし、金融収益を金融資本が獲得する、そのような国家独占資本主義の生き残り策を続けていくために。

コロナ危機の直撃を受けて解雇され、絶望し自死さえする労働者・勤労者がいる。この状況においても

ＦＲＢに資金を融通されながら、ヘッジファンドは、やれ「ビッグ・ショート（空売り）」だの「プットオプション（リスクヘッジのために、「ある日時に売る権利」を購入すること）」だのという投機手法によって、このコロナ危機の三月以来の、株や債券の暴落を利用して数千億円の利益を手にしているのだ。こうしたヘッジファンドを、アメリカ帝国主義権力者は、国際金融市場で自国の金融支配構造をつくり維持する先兵として活用し続けている。東アジア通貨危機を仕組んだアメリカ政府とヘッジファンドのＪ・ソロスとの関係に端的なように、である。だが、こうしたアメリカ政府・ＦＲＢが人民にその危機のりきりの犠牲を転嫁することを労働者人民は団結して打ち砕こう。ゾンビ企業として巨額の負債を負わされ続けることに耐えられず、諸企業は安楽死を選択しはじめた。金融市場および諸企業への国家資金の注入というかたちでアメリカ帝国主義が金融的に支配しつづけようとしても、それは幻想なのである。

二　金融機関によるローン担保証券の大量購入

農林中金理事長は言う。「ＣＬＯと同じようなリターンを得られる投資は、なかなかない」、と。これはどういうことか？

農林中金のみならず、ＣＬＯへの巨額に上る投資をおこなってきた都市銀行や地方銀行やその他の金融諸機関は、リーマンショック以降もあいもかわらずアメリカ金融市場において有価証券への資金の投下をくりかえしてきた。なぜなら、彼ら日本の機関投資家たちは、国内では生産的投資の部面は縮小し金利水準は低くなっているがゆえに、金融的利得をもとめて、比較的に金利水準の高いアメリカ金融市場での金融的投機（資金運用）にあけくれてきた。これ自体が、日本経済が資本の過剰におちいっているがゆえに、よりいっそうの資本の過剰を回避するためにおこなってきたビヘイビアなのである。

農林中金にかんしていえば、これは、二〇〇一年に農業協同組合・森林組合・漁業協同組合を統合して投資銀行へと転換したものであり、ヘッジファンドというべきものである。そして、この転換を機に、金利水準の低い国内市場での資産運用を縮小し、アメリカ金融市場での高金利の外国債の購入を拡大し、金融的利ザヤを稼ぐことに突き進んできたわけだ。日本の金融諸機関は、日本の諸企業が利潤率の低下に見舞われ設備投資を縮小しているという事態に直面してきた。まさに資金を融通する機会を失ってきたがゆえに、これらの諸機関は、アメリカ金融市場での資金の投機的運用に狂奔してきたのである。アメリカ国債の購入のみならず、アメリカ大手金融諸機関がつくったＳＩＶ（特別目的会社）を発行主体としているＣＬＯなどの証券化商品の購入が、それである。この意味で、このＣＬＯの巨額の購入は、日本の国家独占資本主義の腐朽性のあらわれなのである。

しかし、それだけではない。「売ってはだめだ！」このような暗黙の合意が日米両権力者のあいだでなされているのだ。驚くべきことに、二〇一九年にアメリカ金融市場で新規に発行されたＣＬＯをアメリカの大手金融諸機関は、ほぼ購入していないのである。ところが、日本の金融諸機関はそれを購入しつづけ、その保有率は世界で発行されているＣＬＯの総額の一五％に達しているのである。二〇一九年度だけでいえば、発行数の四〇％を買っているというのである。しかも、コロナ危機が顕在化し評価損が出始めても、彼らは一切売却しようとしていない。彼らは、「AAA格付けだから、満期まで保有する。四〇〇〇億円の評価損というのも減損として計上し処理する必要はない」と言うほどに、アメリカ政府とFRB、そして金融資本家が泣いて喜ぶ（内心では、ほくそ笑んでいるだけだが）姿勢なのだ。日米の支配階級の双方の階級的利害を貫徹するために、日本の農林漁業労働者たちの賃金の一部をかき集めてつくりだした資金を、この積立金が消し飛ぶこともかえりみずに、投機的に運用する、これが、彼らのCLO売買の階級的意味である。

これは、日本の権力者がアメリカ権力者と安保同盟を結び、――両者の対立をはらみつつも、――アジアにおいて覇権の確立を狙う国家資本主義国中国に対抗する、という利害の一致にもとづいて、アメリカ帝国主義による国際的な金融的支配の構造を支えているからなのである。すでに、アメリカは世界最大の債務国と化している。この国の貿易赤字と財政赤字は累進的に増大している。日本の諸独占体は、このアメリカの金融市場において、社債や国債やその他の金融商品（CLOなど）を購入し続けてきた。CLOの全世界での発行数の一五％を日本の金融諸機関が保有しているのは、その最たるものである。機関投資家とよばれる生命保険会社、投資銀行、年金積立金管理運用独立行政法人（GPIF）などが、アメリカの債券市場で国債やCLOなどの証券に運用資金をつぎこむ、ということは、日米間をとる限りでいえば、たえずアメリカの双子の赤字を日本がファイナンスする、という資金の循環がかたちづくられていることを意味するのである。これこそが、アメリカが巨額の債務の超過におちいることによってたえずうみだされるアメリカドルへの信用の低下＝ドル暴落の危機が、日本（中国、アジア諸国、欧州諸国）から資金が融通されることによって、のりきられてきたこと、すなわち、ドル基軸通貨体制＝ドル支配体制が維持されてきた根拠なのである。

だが、日本、東アジア、中国などの債権国が、天文学的な数値の財政赤字と貿易赤字を抱えるアメリカを、国債や証券化商品などを購入することによってファイナンスする、というこの構造は、あくまでも、アメリカ政府によって国債の償還がなされるという信用が基礎となる。まさにこのゆえにこそ、FRBは、アメリカ国債の無制限の買い入れに踏み切ったのである。すなわち、国債の償還のための資金をふくめて、アメリカの国家財政資金にかんしては、自機関がこれを保障する、という姿勢を、このアメリカ金融当局はしめしたのである。

いま、新型コロナウイルスの感染の拡大とこれにたいする政府の措置に規定されて、資本のもとでの生産、流通、消費が収縮し、ジャンク債やレバレッジドローンやそしてCLOなどが不良債権と化す危機がうみだされている。この危機をくいとめることが、すなわちドル支配体制の基盤の崩壊をおしとどめることが、FRBが国債の無制限の買い入れやジャンク債までもの購入にふみきった彼らの狙いなのである。

三　膨大な評価損

農林中央金庫は、二〇二〇年三月期のCLOの評価損が四〇〇〇億円超に上った、と発表した。奥理事長は「減損損失の計上が必要なレベルではない」「損失吸収バッファーは厚い」などと語る。つまり、この評価損四〇〇〇億円は回収可能であり損失ではない、と強弁しているのである。これは、事態の深刻さを隠蔽しようとするものである。これは、この金融商品のコロナ危機による暴落という意味を押し隠そうとしているのである。

農林中金が保有しているCLOの総額は、何と七兆七〇〇〇億円である。（他の日本の機関投資家・銀行も巨額の投資をしている。三菱UFJグループは一兆五〇〇〇億円、ゆうちょ銀行は一兆円だ。）この評価損四〇〇〇億円は保有残高の五％を占めるのであり、彼らの保有しているCLO自体が市場運用資産全体の一二％も占めているのである。大したことがないはずがないのだ。

農林中金幹部は「購入しているCLOはすべてAAA格付けである。満期保有目的で優良債権だ」と弁明する。しかし、これはゴマ化しである。満期になった際に、一体どれだけ損失が膨らむのか。CLOに組み込まれている二〇〇社もの「信用力の低い」諸企業が、その時に一体どれだけ生き残っているのか、と想像すれば、背筋が凍るというものでないか。コロナ危機によって、いまアメリカでは破綻企業が続出し、GDPは一―三月期でさえ、マイナス四・八％（年率）に達しているのである。

そもそも、このCLOとは、当初は高リスクBBやBaなどと格付けされたところの、一〇〇社から二五〇社分のレバレッジドローンをよせ集めて証券にし、このようにして組成された証券を、――リスクが解消されたとして、――AやAAAとかに格付けする、という操作がなされたものである。これが、金融技術のなせるわざ、ということなのである。それほど信用度の高い格付けが与えられているのに、アメリカ大手金融諸機関は、なぜ自身が組成したCLOを自身が設立したSIV（特別目的会社）に売り渡し、販売させるのか。自身が保有することはとにかく避ける、という行動をとるのか。債券を証券化して売却する、というのは、債務不履行に陥るリスクがあるからこそ、それを回避するために編み出された不良債権を処理するための手法なのである。これでは、まさに、金融という名のカジノではないか。

このように、「AAA格付けで優良」というのは、まやかしなのである。アメリカの大手銀行の投資部門の人間が真実を語る、と思うほうが狂っているのである。二〇〇八年の金融危機は、サブプライムローン証券化商品（CDO）が「リスクのない金融商品」と喧伝されて、大手金融諸機関（ゴールドマンサックスやJPモルガンやらだ）の意をうけた格付け会社ムーディーズやS&Pと二人三脚で高格付けされて販売されていたことを要因とする、ということを忘れたのであるか。農林中金に預けられたお金は、農林漁業労働者の賃金の一部である。これを彼ら日本のヘッジファンドにたむろする者どもが、アメリカの金融市場で運用し、みずからは金融的利得を手にし、他方ではアメリカ金融資本をこの資金でささえる、これが、彼らによるCLOの購入の階級的意味である。そして、いまコロナ危機によって、この労働者たちのなけなしの賃金の一部が、藻屑と消えたのである。これを私は許すことはできない。

四　「資本の過剰」という分析について

私は、「資本の過剰」という分析にかんして、同志松代秀樹に質問したところ、彼から次のような返答をもらった。

同志丹波へ

新型コロナウイルス感染症の蔓延という社会的状況に規定された現下の経済的現実を、「資本の過剰」にかんする本質論的規定（よりたちいって言えば、産業循環を明らかにするところの・本質論のなかの現実形態論的規定）を適用して分析してよいのか、という質問を、同志丹波からうけた。すなわち、いま、需要も生産も減退し、生産設備の過剰というかたちで資本の過剰が現出し、労働者が首をきられるというかたちで労働力の過剰があらわとなっているのであるが、これを、産業循環における恐慌時を概念的に規定する、「資本の過剰とこれにもとづく労働力の過剰」と規定してよいのか、ということである。

この規定は、現下の経済的現実には、直接的には妥当しない、と私は考える。

いま、諸企業にかんして、需要の減退から生産の縮小が生じている、ということではない。政府が労働者を職場に来させるな、とやったことから、生産の縮小が生じた。（また同時に、商店に買いに行くな、遊びに行くな、とやったことから需要が減退した。）新型コロナウイルスの感染拡大を防ぐために政府が実施した措置、この政治的要因にもとづいて、資本のもとでの生産・流通・消費の縮小が、一挙に同時に生じたのである。この意味で、資本と労働力とが一挙に同時に過剰となったのである。このことは政治的要因にもとづくのであって、産業循環の論理を直接的に適用して分析することはできない。現下の経済的現実を分析するためには、産業循環にかんする諸規定は直接的には適用限界をなすのであって、もっと具体的に分析しなければならない。いま、資本の過剰と労働力の過剰との同時的惹起というように、恐慌と同じような現象がおきているのであるけれども、これは、産業循環にもとづくものではないからである。

飲食店が店を閉める、というのも、需要が減退したからではない。政府が閉めろ、と命令したからである。飲食店は、料理を提供するというサービスを生産し販売し、それを客が消費するのであるからして、店を閉めるということは、そのサービス商品の生産・販売・消費の停止を意味する。

いまおこっている事態は、これまでにない新たな事態なのであり、そうであるからして、政治経済学的な諸規定を現実的に適用して、具体的に分析しなければならない。一定の規定を現実に妥当させて・これを規定する、というわけにはいかない。

いま起こっている事態は、産業循環にもとづくものではない、というようにわれわれが把握することそれ自体、われわれは、直面する経済的現実を、産業循環にかんする諸規定を適用して分析するがゆえになしえているわけである。しかし、このことは、この現実をわれわれが産業循環にかんする諸規定をもって直接的に概念的に規定することとは、異なるのである。

以上が、同志松代の返答である。

この返答をうけて、私は次のように考えた。

私が同志松代に質問した問題意識は次のようなものであった。

①コロナウイルス感染拡大によって需要が激減し、かつ感染防止のために生産自体を縮小していった。こうして生み出された事態を本質的には資本の過剰の露呈と把握できる。

②質問の主旨は、資本の過剰というのは、産業循環との関係では、好況時に資本が直接的生産過程の主客両契機の技術化（資本の有機的構成の高度化）をするのではなく、生産を横へと拡大するので相対的過剰人口を吸収し労働力が不足してくる。こうすることによって労賃が上昇し利潤率が下がり始める、とと

もに、利子率が上昇する。生産の過剰が在庫の増大によっておおい隠されていたのであったが、ついに追加資本が利潤を生まなくなる（現実的には、利子率が利潤率を上回る）。この局面を資本の労働力にたいする過剰と規定する。

③私はこう理解しているので、今回のコロナ危機というのは、通常の産業循環においての好況時の資本のビヘイビアの結果としてもたらされたものではない。しかし、突然の感染拡大により需要が激減することに規定されて生産が収縮し、このことにもとづいて、利潤率が下がる。この状況は、資本が労働力にたいして過剰に陥った、ととらえることができるのではないかと思う。

同志松代の返答を、このような私の問題意識との関係において、次のように受けとめ把握した。

①丹波が述べている「資本の過剰」の理解については、本質論的規定としては正しい。ただし、本質論的規定と言っても、丹波の述べているのは「本質論における現実形態論的規定」である。しかし、丹波にはその自覚がない。

②それとも関係して現下の経済的現実を分析しようとしたときに、この本質論における現実形態論的規定を無媒介的に（＝直接的に）妥当させようとしているが、それはうまくない。なぜなら、いま生み出されている事態にかんしては、これを、資本の過剰と労働力の過剰の現実形態をなす、というように存在論的に把握することができるのであるが、『資本論』の諸規定と、これを宇野弘蔵が批判的に発展させて解明した産業循環論、すなわち、産業循環において資本の絶対的過剰生産がどのように現実化するのか、という過程的構造の法則的把握を、生起している経済的事象を分析するために・われわれが適用する場合の前提として、現実を織りなす諸条件が、恐慌論的にアプローチするべきところの対象的現実とは異なる。つ

まり、新型コロナウイルスの感染拡大に直面して、これの資本制社会への打撃を抑え込むために政府がロックダウンをはじめとして「会社にいくな。三密を避けろ。移動するな。」と制限を加えたこと、この政治的な規制・統制にもとづいて、生産（生産、流通、消費）が急激に縮小した、という現象が生み出されたのだからである。

③そして、今回生み出されている事態は、丹波が言うように、経済的現実を経済学的に把握すれば、それは「資本の過剰と労働力の過剰の一挙的露呈」といえる。しかし、その原因を、過程的に、政治経済的要因つまり政府の政策とその遂行の結果として措定し、具体的に分析するべきである。その意味で、生みだされてある経済的現実の経済学的把握としては本質直観的には恐慌と酷使しているとみえるのであるが、それが生起した根拠は、産業循環にもとづくものではなく、コロナウイルス感染という事態とこれにたいする各国政府の政治的対応にもとづくのである。その意味でこれは初めての事態である。そのように、生起している事態の性格についてわれわれ認識主体が判断し、それにふさわしく、恐慌の発現形態の現実形態論的解明を、つまり産業循環論の規定を、諸条件の分析の弱いままに妥当させる（あてはめる——丹波の場合）のではなく、コロナ危機の具体的諸事態を、政府の政策とその物質化の結果として、経済的下部構造（政治的反作用をうけたところのそれ）を具体的に分析するべきである。そして、その際に分析主体としてのわれわれが、生起している経済的現実をみて、本質直観として「資本の過剰と労働力の過剰の露顕」としてつかむのは、直観的推論としては、そうであるのではないか。そのうえで、直接的に妥当させている、という丹波の把握が方法的に誤りだ、というように考える。（いまの経済的現実にかんしては、その直接的把握としても、「資本が労働力にたいして過剰に陥った」とはいえない。労働力もまた直接的に過

剰なのである。丹波のこの現実把握に、方法的誤りが端的にしめされている。）

さらに、資本の過剰、すなわち、「資本の絶対的過剰生産」を本質論的にとらえるということは、どういうことなのかを考えた。

①「資本の絶対的過剰生産」についての『資本論』第三部における規定。

「資本制的生産の目的のための追加資本がゼロとなれば、資本の絶対的過剰生産が現存するであろう。しかるに、資本制的生産の目的は資本の増殖、すなわち剰余労働の取得であり、剰余価値・利潤・の生産である。……」（『「資本論」と現代資本主義』一八五頁から重引）

ここでマルクスが論じているのは、資本の過剰を、だから、恐慌の本質規定の経済学本質論における本質論的規定。（本質論における本質論）

②これとの関係では、宇野は、この資本の過剰がどのような過程をとって現実化するのかを、産業循環をとおして発現するものとして解明した、といえるのではないか。これをわれわれは、資本の過剰の「本質論における現実形態論的解明」と呼ぶのではないか、と私は推論的に考えた。

二〇二〇年七月七日

ゾンビ資本主義

松代秀樹

一　レジャー産業の壊滅

現実にそぐわない現実描写

現存政府が、新型コロナウイルスの感染拡大を阻止するためにとった外出の禁止や移動の規制の措置によって、観光・飲食・レジャーなどの諸産業は、壊滅的事態となっている。この現実を分析し、このことが今日の国家独占資本主義の政治経済構造にとってもつ意味を明らかにすることが、現下の経済的危機を把握するための一つの中心課題をなす。

革マル派現指導部は、アメリカを主要に念頭におきながら次のように分析している。（茨戸薫「〈パンデミック恐慌〉に突入した世界経済」「解放」第二六二一号、『新世紀』第三〇八号）

「このような、現代帝国主義において激増してきた非正規雇用労働者たちは、また肥大化したサービス産業・レジャー産業などで働く労働者たちは、超低賃金で使い捨てにされる半失業の存在に突き落とされている。彼らは、好況期には諸独占体に雇用され、不況になると真っ先に首切りの対象とされる存在であって、このようなものとして資本の有機的構成の高度化にもとづいて創出される相対的過剰人口（新技術形態の導入にともなって生産過程から放逐される労働者群）の今日的形態にほかならず、肥大化したサービス産業・レジャー産業などはこうした相対的過剰人口をプールする歴史的に独自的な機構をなしてきているのである。」

もしも、資本の有機的構成の高度化が不断におこなわれるものと想定するならば、したがって相対的過剰人口が不断に創出されるものとして想定するならば、このようなことがいえるであろう。相対的過剰人口は不断にうみだされ、不断に増大していく相対的過剰人口を吸収する諸産業が発展する、すなわちそのような労働者たちをプールする機構を資本主義はうみだす、といえるからである。

だが、現代資本主義がこのようなものであるならば、いわゆる人手不足というような事態はうみだされない、ということになる。なぜなら、不断に相対的過剰人口は創出されるからである。そうであるならば、現代資本主義のもとでは恐慌が激発することはない、ということになる。なぜなら、現代資本主義は、資本の有機的構成を不断に高度化し、相対的過剰人口を不断に創出しつつ、この創出された相対的過剰人口を吸収して、順調にかつ永遠に発展していくことができる、ということになるからである。職場から放出された労働者たちは、彼らをプールする機構のもとに吸収されていく、ということになるからである。

これは資本主義美化論である。現実とはあまりにもそぐわない現実描写であり、理論展開である。

このような描写を、筆者は、大内力の「国家独占資本主義の腐朽性」にかんする展開によって基礎づける。

「こうした観光・飲食・レジャーなどのサービス産業の肥大化は、「浪費の創造」を如実にあらわすものとして、「経済の軍事化」や「自己金融にもとづく投機」と並んで過剰資本の処理の国家独占資本主義的形態をなすものにほかならない。観光産業は、こんにちでは世界GDPの一割を占めるまでに膨れあがっている。」

二一世紀現代において生みだされている事態を、大内力が一九六〇年前後に、一九三〇年代の資本主義および第二次大戦後の資本主義を物質的基礎として明らかにした、国家独占資本主義における過剰資本の処理の三形態、これのあらわれとして捉える、というのでは、あまりにも能がない。これは、大内力の理論を現実の下向分析に適用する、というのではなく、その理論を現実の解釈にあてはめる、というものでしかない。

もしも、大内力の理論を、二一世紀現代の経済的現実の下向分析に適用する、というのであるならば、その理論に内在している二契機を自覚的に分化してとりだすことが必要である。

それは、大内力その人が「恐慌論的アプローチ」と呼んでいるもの自体における、二つのアプローチの仕方の違いである。これを、彼自身はアプローチの仕方の違いとしては自覚していない。

大内力の「恐慌論的アプローチ」のなかの二つのアプローチ

この二つのアプローチを、われわれの観点から捉えかえすかたちにおいて明らかにするならば、次のようにいえる。

その一つ目は、一九三〇年代のアメリカ経済の現実を物質的基礎として、一九二九年の大恐慌の後の深刻な不況をのりきるために資本主義はどのように変貌したのか、ということを明らかにする、というアプローチの仕方である。このばあいには、資本が過剰であり、かつ労働力が過剰である、すなわち失業者が大量にうみだされている、ということが物質的前提として措定される。この理論的解明においては、革命ロシアのスターリン主義政治経済体制への変質を外的条件とし、一九二九年恐慌ののりきりを内的要因として、金本位制の管理通貨制への移行を基礎に、帝国主義経済は国家独占資本主義に推転した、という・国家独占資本主義の成立の出発点が明らかにされる。

その二つ目は、第二次大戦以後の一九五〇年代のアメリカ資本主義を物質的基礎として、恐慌を回避するためにどのような構造がうみだされているのか、ということを明らかにする、というアプローチの仕方である。このばあいには、いわゆる完全雇用が実現され、労資が協調するような労働運動が推進されているという諸条件が物質的前提として措定され、このような諸条件のもとで、大量生産の拡大というかたちでの資本の蓄積が、資本の過剰にもとづく恐慌として激発しないのはなぜなのか、ということを明らかにすることがめざされる。

いずれのばあいにも、その方法は、資本制生産の現状を、宇野弘蔵の原理論的恐慌論の諸規定を基準として分析する、というものである。けれども、前者は、恐慌後の一九三〇年代のアメリカ資本主義を物質的基礎として、その現実を、宇野弘蔵の恐慌論のなかの不況の深刻な時期にかんする諸規定を基準として分析する、というようにアプローチしているのにたいして、後者は、一九五〇年代の好況期のアメリカ資本主義を物質的基礎として、その現実を、宇野弘蔵の恐慌論のなかの好況が進展した時期にかんする諸規定を基準として分析する、というようにアプローチしているのである。

けれども、同時に、一九三〇年代のアメリカにおいて形成されたものを物質的基礎として、第二次大戦以後の東西対立のもとでのアメリカ資本主義が成立した、といえるのであるからして、分析された結果としての内容上では、両者ともに同じような傾向もまた摘出される、といえる。この内容上の共通性のゆえに、大内力その人は、自分の分析におけるアプローチの違いをそのようなものとしては自覚していないのである。

この大内力を批判的に摂取した黒田寛一、この黒田寛一をうけつぐことを意志するわれわれは、大内力その人が自覚してはいないことをもつかみとらなければならないのである。

大内力が、国家独占資本主義の腐朽性として、したがって過剰資本の処理の国家独占資本主義的形態の三者として明らかにしている「経済の軍事化」、「自己金融の強化」、「浪費の創造」、これの物質的基礎をなすその傾向は、一九三〇年代にうみだされ、第二次大戦以後によりいっそう発展したところのものである。

資本家は相対的過剰人口をプールし養う慈善家なのか

「解放」論文の筆者は、大内力の解明にのっとっているかのように見せかけているのであるが、二番目の「自己金融の強化」を「自己金融にもとづく投機」と表記するなどというのは噴飯ものである。それは、現時点において生起している傾向を、大内力が解明した規定のなかにひそかにもぐりこませる、という理論的詐術なのである。

資本を大量に投下してもそれに相応する利潤を生むわけではないことのゆえに、銀行から資金を借りて生産諸手段および労働力を購入するというのではなく、自企業が利潤を蓄積したものである自己資金の枠内で新たな資本を投下する、という傾向をつよめている、このように金融資本の形態が変化している、ということを、大内力は明らかにしたのであって、この傾向は、今日における、金融的利益を得るための資金の投機的運用の拡大という傾向とは異なるものなのである。今日では、諸企業・諸金融機関・投機屋どもは、他人資本と呼ばれる種々の形態の借入金をもとにして、この資金を、レバレッジ（てこ）をかけるというかたちで投機的に運用する傾向をつよめているのである。筆者は、このようなことを知ってか知らずか、今日の投機を大内力の理論でもって説明づけるために、「自己金融にもとづく投機」などという一句をでっちあげたのである。

右のような詐術は、自分で現実を分析しない・できない者の原稿捏造術である。

ここに言う「浪費の創造」、すなわちサービス産業を、「半失業状態の労働者をプールする役割をはたしている」ものとして意味づけして分析するばあいには、二一世紀現代の現状を、資本が過剰であり、かつ労働力が過剰である状態とみなしていることになる。馬鹿言っちゃいけない。

リーマンショックを要因とする危機をのりきった後の日本では、ずっと人手不足だったのである。

アメリカでも、サービス産業は、移民というかたちで供給される底辺の労働者によってその労働力がまかなわれてきたのである。ＩＴ産業以外の基幹的諸産業では、もはや生産設備を増強するならば生産の過剰を引き起こす、というかたちで資本が過剰となっていたがゆえに、自己増殖する価値たる資本は、労働者を搾取し利潤を得る部面をこしらえあげるために、人びとに浪費をうながし種々のサービス産業・レジャー産業を発展させてきたのであり、移民労働者をその搾取材料としてきたのである。資本は、半失業状態の労働者をプールして養う慈善家であったのでは決してない。現代アメリカ資本主義経済は、移民の若い労働者という絶好の搾取材料を得て彼らを基礎にして、老齢化のすすむ日本よりも相対的に圧倒的に高い資本制的な経済成長を実現してきたのである。

筆者は、大内力が一九三〇年代のアメリカ資本主義を物質的基礎として明らかにした諸規定の一部を得手勝手に、二一世紀現代の経済的現実の分析にあてはめただけなのである。

新型コロナウイルスの感染拡大を阻止するために政府がとった強硬措置、これに規定されてうみだされた資本制的な生産・流通・消費の収縮と大量の労働者の解雇という事態に直面して、これがアテハマル！と救われた気持ちになって、おぼえこんでいた大内力の『国家独占資本主義』という本のなかのことばに、筆者がとびついた、というだけのことなのである。

単線的で直線的な・もののつかみ方

いまや筆者は、厚顔無恥にも、そのアテハメ頭を、その解釈主義の頭を、丸出しにする。

「まさにいま倒産・廃業の危機に立たされ、労働者を次々と巷に放りだしている中心的な諸産業・企業こそは、経済のグローバル化・国内製造業の空洞化を補完するかたちで肥大化してきたところのこうした産業・企業であり、「雇用の調整弁」として相対的過剰人口のプールの役割をにない、資本の過剰が恐慌として爆発することを抑える機能をはたしてきたところのものなのだ。パンデミックの直撃が現代帝国主義にもたらしていることは、まさしく「浪費の創造」によってつくりだしてきたこうした相対的過剰人口のプールの決壊という事態であり、相対的過剰人口がむきだしの失業者群として溢れだしているということであって、資本の過剰が恐慌として露わとなる事態を招来しつつあるということにほかならないのである。」

「相対的過剰人口のプール」というのが、この人の何とかの一つ覚えなのであろう。この「プールの決壊」、「この相対的過剰人口がむきだしの失業者群となって溢れだしている」という、単線的で直線的なつかみ方が、この人の単純な頭をしめしてあまりある。

はたして、相対的過剰人口をためておくプールまでもが壊れて、どんどんうみだされる失業者群がこのプールから溢れだす、というのが、恐慌と規定される事態の仕組みなのであろうか。はたして、相対的過剰人口をプールしておくことが、資本の過剰が恐慌として爆発することを抑える機能なのであろうか。

これは、相対的過剰人口の連続的増大論である。これは、労働力の過剰がすすむことによって、資本の過剰が恐慌として爆発する、というようにつかむ捉え方である。このようなものとして、これは、大内力の「恐慌論的アプローチ」の根底的否定である。

もしも、恐慌を、〈好況――恐慌――不況〉という循環においてつかみ理論化するところの、宇野弘蔵の原理論的「恐慌論」、大内力の国家独占資本主義にかんする「恐慌論的アプローチ」、そしてこれらを批判的に摂取した黒田寛一の理論を、さらには資本の過剰を労働力にたいする資本の過剰として把握するマルクスの本質論的規定を、公然と否定し、革マル派現指導部独自の恐慌論および国家資本主義論ならびに資本制経済本質論をこしらえあげる、というのであるならば、そうするがよい。だが、そのようにする勇気も度胸もないのに、右のような直線的なつかみ方を開陳するのは、現実を見る感性および下向分析力を喪失するとともに、頭が錯乱し理論的に衰退していることを、彼らが無自覚的にさらけだすものなのである。

恐慌の回避

大内力の「恐慌論的アプローチ」を、黒田寛一および彼に指導されたわれわれが批判的に摂取し、国家独占資本主義において資本の過剰が恐慌として露わとなるのを回避する構造を明らかにしたもの、その骨組みをのべるならば、次のようにいえる。この構造を、われわれは、一九六〇年代の日本の資本主義を物質的基礎として明らかにしたのである。これは、大内力の「恐慌論的アプローチ」のなかの二番目のアプローチの仕方を自覚的にとりだし継承したものである、ということができる。

生産の拡大によって失業者たちは吸収され、労資協調主義的な労働運動が展開されているという諸条件のもとで、管理通貨制を基礎として、国家は公共事業の拡大などの有効需要を創出するための財政金融政策を実施し、こうすることによってゆるやかなインフレーションがひきおこされる。このゆるやかなインフレーションに規定されて、企業の設備の減価償却の負担が軽減されるとともに、労働者の実質賃金が低下する。この時間的猶予のうちに、諸企業は、技術革新を、つまりは直接的生産過程の主客両契機の技術化をなしとげ、生産の拡大にもとづく賃金の上昇圧力を吸収する。

このようにして、今日の国家独占資本主義は、資本の過剰が恐慌として露わになるのを回避しているのである。

このような把握が、その骨組みである。

この把握には、次のような宇野弘蔵の恐慌にかんする原理論的諸規定が適用されている。

好況期においては、資本は、資本の有機的構成をそのままにするかたちで、相対的過剰人口を吸収して生産を拡大する（つまり生産の横への拡大）。相対的過剰人口を吸収し終えるとともに、賃金が上昇し、利潤率が低下する。資本が労働力にたいして過剰となるのである。資本の蓄積のゆえに、生産される諸商品は消費を上回る。このことは、商品在荷の増大によっておおい隠される。だが、商品在荷の増大というかたちでの流通の停滞は利子率を高騰させる。ついに利子率が利潤率を上回るに至る。ここに生産の継続は不可能となり、生産は停止する。このようなかたちで資本の過剰があらわとなるのであり、これが恐慌である。

生産物や原材料は投棄され、労働者たちは路頭に投げ出される。諸商品の価格と賃金は暴落する。資本の過剰とこれにもとづく労働力の過剰が、このようなものとして現実化するのである。

諸商品の価格と賃金は低落したままとなり、生産・流通・消費は低迷する。これが不況期をなす。生産が徐々に再開され、この不況期の末期において、資本は、従来の機械＝生産設備を廃棄し新たな技術化されたそれを導入するというかたちで、資本の有機的構成を高度化する。こうすることによって新たな相対的過剰人口がうみだされる。固定資本を更新した資本は、相対的過剰人口を吸収しつつ、生産を拡大し、好況期に入っていく。

このようにして、同じ循環がより大きな規模においてくりかえされる。

――これが、恐慌にかんする原理論的解明の骨子である。

もしも現下の経済危機を、「パンデミック恐慌」という形態の恐慌である、と規定するのであるならば、〈いま・ここ〉の経済的現実を、右にみてきた諸理論を適用して、下向的に分析しなければならない。だが、呼号される「相対的過剰人口のプールの決壊」というイメージ的説明句には、そのような痕跡は何もない。「相対的過剰人口」という借り物の概念でもって、経済的現状を解釈しただけのことなのである。

いまうみだされているところの、生産設備の一定の部分の停止と、膨大な労働者たちの解雇とが、恐慌時に惹起されるところの、生産の停止と失業者の増大とに、似ているということから、革マル派現指導部は、「パンデミック恐慌」などという用語をでっちあげたのであり、その理論的説明づけに四苦八苦している、ということなのである。

たとえ、恐慌が勃発した後の経済的事態の規定をなす「資本の過剰とこれにもとづく労働力の過剰」という理論的把握をアテハメると観念的に意図するのだとしても、ここに言う「労働力の過剰」は、生産が停止することによってうみだされている失業者群にかんする規定であって、直接的生産過程の主客両契機を技術化するかたちでの固定資本の更新によって・以前よりも相対的に少ない労働力が必要となるにすぎずこれを上回る労働力は相対的に過剰となる、ということを明らかにする「相対的過剰人口」という規定とは異なる、ということさえもが考察されていないのであり、後者から前者へと連続的につないだ解釈的言辞が、「相対的過剰人口のプールの決壊」なのである。

今日の技術化の態様とその諸結果

日本の現実を措定して分析するならば、現下の経済的現実は、新型コロナウイルスの感染拡大とこれを阻止するために政府がとった強硬措置によってもたらされているところの、資本制的な生産・流通・消費の大規模な収縮である。

これは、政治的および社会的要因によってうみだされているものであり、そのようなものとしてこれをわれわれは具体的に分析すべきなのであって、「恐慌」などというように規定すべきではないのである。

では、いま生起している諸事象の一つであるところの、レジャー・観光・飲食などの諸産業の壊滅という事態を、そしてその経済的意味をどのように分析すべきなのか。このように問題をたてるならば、こうした諸産業が今日の国家独占資本主義のもとでどのようにして発展してきたのか、ということをふりかえりつつ、考察しなければならない。

このようなことがらを分析するためには、われわれの視野を二一世紀現代の世界経済にひろげなければならない。

この現代世界は、一九九一年の現代ソ連邦の自己解体を結節点として、ロシアおよび中国がスターリン主義政治経済体制を解体し国家資本主義に変質する、とともに、ソ連を構成していた諸国およびソ連圏を形成していた諸国が総体として帝国主義世界経済にのみこまれたことをとおしてうみだされたものであり、米中の対決を、両者の覇権争いを基軸として運動しているのである。

今日では、全世界的規模において見るかぎり、生活必需品を生産するために必要な諸産業部門は、生産諸設備は過剰となっている。アフリカの諸国およびその他の一定の諸国の人びとが貧困と諸物資の不足に苦しんでいるのを尻目に、資本は、過剰な生産設備でもって世界を覆いつくしているのである。

諸産業部門は、ITおよびインターネットサービスの産業が成長著しいのに比して、他の基幹的な諸産業は低迷している、という対照をなしている。鉄鋼を先頭にして、造船・重機・機械・精密機械・自動車・重電機・家庭電器・石油化学・化学・繊維・建設・鉄道・運輸などなどの諸産業部門の諸資本は、程度の差こそあれ、設備の過剰に苦しんでいるのである。みずからの産業の諸生産物が、これを労働対象ないし労働手段として消費ないし使用する諸産業において必要とする量よりも多くを生産するだけの生産設備を、それぞれの産業の諸資本がそなえている、ということである。また、消費物資を生産している諸部門では、人びとが購入しうる以上のものを生産しうる能力をもっている、ということである。

アメリカのシェールオイルガスをふくむ原油・天然ガス、原子力発電、そして再生可能エネルギーと呼ばれているものなどのエネルギー産業、ならびに農業にかんしては、独自的な運動をしめしていることからして、それ独自に分析されなければならない。

ここでは、右に見た諸産業を既存の基幹的諸産業というように一括し、こうした諸産業とITおよびインターネットサービスの産業との対立を措定する。

この両者の織りなす物質的諸条件のもとで、それぞれの産業部門において、世界の諸企業はしのぎをけずっているのである。

鉄鋼部門では、いま、次のような事態が起きている。中国においては、政府は、新型コロナウイルスの感染拡大とこれへの政府の措置によって収縮した経済をたてなおすために大規模な公共投資をおこなっており、これに助けられかつ呼応して鉄鋼諸独占体は、より技術性を高度化するかたちで諸工程の生産設備を増強しているのである。このことに規定されて、アメリカの鉄鋼独占体はもちろんのこと、高度な技術性を誇る日本の鉄鋼独占体もまた苦境にたたされているのである。中国の独占体は、高度な技術的特性をもつ特殊鋼の生産においても、日本を追い上げているからである。

自動車部門では、諸独占体は、電気自動車という、新たな技術性をもつ製品の生産にのりだしているのであり、また生産諸工程によりいっそう技術性の高いロボットを導入しつつ、どの車種をどれだけつくるのかということを、市場調査にもとづくインターネットシステムによって管理する、というようなことをおこなっているのである。

いま、ほんの一端をみたにすぎないけれども、それぞれの産業部門において、その製品が人びとの消費手段となるのであれ他の部門の生産手段となるのであれ、その製品のもつ技術性を高度化し新たな特性をそなえたものとしないことには、諸企業は生き残れないのである。そして、このような製品を生産しうるものへと、その生産過程の主客両契機を技術化しなければならないのであり、生産設備を、ITやAI（人工知能）技術を駆使したものとするとともに、この生産と輸送と販売のすべてを、インターネットシステムでもって管理する、ということが必要なのである。このゆえに、このような企業内諸部門のそれぞれの諸作業を遂行しうる高度な技術性をもった労働者を雇い入れかつ養成しなければならないのである。

このことの反面においては、資本としてのこのような新たな挑戦に立ち後れ敗北した諸企業は、生産性の悪い工場から順次閉鎖し、設備を廃棄しなければならず、さらには倒産に追いこまれることになるのである。あるいは、二つあるいはそれ以上の独占体が合併して、不採算部門を大胆に切り捨てる、という行動をとるのである。こうすることによって、そこで働いていた労働者たちは解雇され、路頭に放り出され、失業者群を形成することになるのである。

こうしたばあいには、新たな挑戦に勝利した企業では、高度な技術性をもった新たな労働力を必要とし、敗北した企業では、従来の労働力を放出するのである。もちろん、この構造は、前者の企業の内部でも再生産される。新たな工場には、新たな労働力を必要とし、縮小ないし閉鎖される従来の工場の労働者は、希望退職というかたちで解雇されたり、新たな工場の下働きの作業へと配置転換されたりする、というように、である。

このいずれであったとしても、このように放出される労働者を、『資本論』で明らかにされている本質論的規定である「相対的過剰人口」という概念をアテハメて、「相対的過剰人口」とか「相対的過剰人口の今日的形態」とかというように規定することはできない。

理論展開において措定される物質的前提が、現状の分析と『資本論』とでは異なるからである。『資本論』は資本制生産の普遍的本質論であり〈総資本＝総労働〉という抽象のレベルにおける展開であるがゆえに、一定の使用価値を生産するための直接的生産過程における資本の有機的構成の高度化にかんして論じられているのである。したがって、労働力の技術性は均等である、ということが前提とされているのである。

だから、もしも、高度成長期の日本において、或る一定の使用価値を生産するための直接的生産過程にオートメーション設備が導入され、多くの労働者たちがいらなくなった、という事態を分析するのであるならば、この労働者たちを「相対的過剰人口の今日的形態」と規定することは可能である。

だが、中国の鉄鋼独占体が生産設備を増強したことの影響をうけて、これに敗北したアメリカの鉄鋼独占体が労働者たちを解雇し、その工業地帯がラストベルトと化した、という事態を分析して、解雇されたこの労働者たちを「相対的過剰人口」と呼ぶ、というのでは、そう呼ぶ者が、自分の頭がアテハメ頭であることをさらけだしている、ということにしかならないのである。二一世紀現代の経済的現実を、自分自身の頭で、本質論的規定を適用して、具体的に分析する、というものでは、それは何らないからである。

解雇された工場労働者はどこへゆく？

わがアテハメ頭の持ち主が言うように、はたして、競争に敗北した企業の経営者によって解雇された工場労働者は、「相対的過剰人口のプール」たるレジャー・観光・飲食などの産業の諸企業に雇われるのであろうか。私が体験したかぎりでの狭い世界では、飲食業に流れてきた人のなかには、元工場労働者はいなかった。ほとんどの人は、同じ業種のなかで上から下へと流れてきていたのである。

解雇された工場労働者の多くは、もっと小規模の同じような工場での付随的な仕事のために雇われたり、その地域での下働き的な仕事にありついたりするのではないだろうか。あるいは、仕事をする気力もなくして、怨念だけをもつ、というようになるのではないだろうか。彼に代わって、彼の妻や娘が、近くのレジャー施設や飲食店に働きに出たり、パートの仕事を掛け持ちしたりする、というようにして生計を立てるのではないだろうか。観光といっても、工場地帯には、よい観光場所はなく、地域的に離れるのではないだろうか。

総じて、レジャー・観光・飲食などの産業は、解雇された工場労働者に仕事場を提供するために発展してきたのではない。既存の基幹的諸産業においては、生産設備の過剰というかたちで資本が過剰となっており、追加資本がもはや利潤を生まなくなっているがゆえに、資本は、レジャー・観光・飲食などのサービスの購入＝消費に人びとを誘いこむとともに、このサービス労働にふさわしい人たちを賃労働者として雇い入れ育成し、彼らの生きた労働を吸い取って、自己を増殖してきたのである。また、こうしたサービスの生産＝販売は、小さな規模でもなしうるがゆえに、個人経営の店舗がそのすそ野を形成することとなったのである。だが、当該のサービスへの人びとの欲望がほりおこされたとみるや否や、大資本は、大型の娯楽施設を建設して、個人経営者をその外側に追いやったのである。

このようにして発展してきたレジャー・観光・飲食などの産業は、新型コロナウイルスの感染拡大とこれを阻止するための政府の措置によって、個人経営者を先頭にして、壊滅的事態になっているのである。感染拡大をふせぐための諸措置と、これにもとづく人びとの行動の変容は、こうしたサービスの生産＝消費を成り立たせえないものとなったからである。この産業の諸企業に雇われている労働者たちは、パート労働者が多かったが、即刻・あるいは・順次、首を切られた。

インターネットサービス業の飛躍的発展

こうしたサービス業に代わって、新型コロナウイルス感染拡大のもとで、飛躍的に発展したのが、インターネットサービス業であった。家にいることを余儀なくされた人びとは、仕事のためにも、学業のためにも、そして娯楽のためにも、このサービス商品にたよった。

このサービス業は、ＩＴおよびインターネットサービスの産業として一括してとらえるべきである。この産業部門のつくりだす物質的諸条件は、既存の基幹的な諸産業部門にたいしては、その生産設備に、それを自動的にコントロールするためのＩＴおよびＡＩ（人工知能）技術を付加する役割をはたす、と同時に、諸商品の生産・輸送・販売をインターネットシステムでもって管理する、その基盤となるのである。それとともに、この産業部門の巨大独占体は、人びとに、彼が余暇を楽しむためであれ、学習するためであれ、また企業の業務を遂行するためであれ、もろもろのサービス商品を提供するのであり、このサービス商品の代金を、多くのばあいには、画面に広告を表示することを頼んだ企業から、広告掲載料として受け取るのである。

この後者の側面を、人びとが娯楽としてこのサービス商品を消費することを主軸に考えるならば、この産業は、レジャー・観光・飲食の産業と同類のものであり、浪費の生産をなすのである。しかも、既存の娯楽業の経営者は、インターネットを介して客と結びつき客を呼びこむ、というように、新鋭のサービス業に依存する度合いを深めているのである。

資本は、自己を増殖するために、労働者たちを搾取する部面を、既存の基幹的諸産業から、一方では、レジャー・観光・飲食の産業に、他方では、ＩＴおよびインターネットサービスの産業に拡大するだけでは足りなかった。搾取材料たる労働力にたいして資本は過剰であり、尖端を切った企業以外は、満足な利潤を得ることはできなかったからである。全世界的な規模での競争に敗北した諸産業の諸企業を抱える国では、資本が過剰であるままで、失業者を生みだしつづけなければならなかったからである。過剰である資本と失業している労働者とを資本家的に結合する余地はなかったからである。

ここに、資本は、労働者と勤労民衆とそして他の資本家を徹底的に生産部面外において収奪するという行動にのりだしたのである。これが、金融的利益を得るための投機である。政府および金融当局の金融緩和政策の実施を条件として、株価をつり上げ、金融資産を蓄積する、という諸独占体および諸金融機関の行動が、それである。これは、金融的バブルの膨張および人びとのあいだの格差の拡大として現象するのである。

このことに逆規定されて、政府および金融当局は、金融的バブルの崩壊をくいとめるために、金融市場によりいっそう国家資金を注入する、という行動をとることにもなるのである。

まさに、新型コロナウイルスの感染拡大とこれを阻止するための政府の措置によって、資本制的な生産・流通・消費が急激に収縮したことは、金融市場の大動揺を呼び起こした。この動揺とすでに築きあげてきた金融的構造の崩壊をくいとめるために政府および金融当局がとった行動とその諸結果が、次に検討されなければならない。

二　国家資金の企業と市場への注入

〝禁じ手〟という驚愕

わがアテハメ頭の持ち主は、トランプおよびFRB（アメリカ連邦準備制度理事会）の政策を「〝禁じ手〟」というように大げさに驚愕してみせる。

次のように、である。

「まさにアメリカ権力者は、いまや「財政ファイナンス」（財政支出拡大のための国債の増発と中央銀行によるその引き受け）に公然と踏みだしたといえる。」

「財政赤字をかかえ金融政策に頼ってきた帝国主義諸国も、超金融緩和政策を採りつづけてきたがゆえに、もはや金融政策も手詰まりの状態にある。まさにこのゆえに、中央銀行による「財政ファイナンス」という、政府債務の歯止めなき増大と長期金利の急騰（国債価格の暴落）をもたらし、そうすることによって世界金融恐慌の爆発を招きよせかねない〝禁じ手〟にすがり始めたのが米・欧・日の帝国主義権力者どもなのである。」

これは、アテハメはアテハメでも、マルクス経済学の何らかの諸規定のアテハメではなく、毎日新聞が好むような巷のエコノミストの片言隻句をアテハメたようなものである。

「金融政策の手詰まり」しかり。「政府債務の歯止めなき増大」しかり。「〝禁じ手〟」しかり、である。

権力者に寄り添う読売新聞は、このような言葉を好まない。

だが、毎日新聞といえども、いくらなんでも、「長期金利の急騰（国債価格の暴落）をもたらし」とは言わない。国債の増発が長期金利の急騰をもたらすことがないように、アメリカの金融当局（FRB）は、国債を無制限に購入するという方針をうちだし、現にこの方針にのっとって行動しているのだからである（日本銀行もまたそうである）。巷のエコノミストは、自分が見向きもされなくなるのを恐れて、そんな危険な予測論を展開することはない。

わがアテハメ頭の持ち主も、「国債を「無制限」に購入する方針をうちだしているのが、米FRBなのである」、と書いているのである。だが、彼は、アテハメ頭よろしく、FRBがこういう方針をうちだしたという現実そのものを場所的に分析するのではなく、自分が過去に知ったところの・危機的事態がもたらされるであろうという予測の言葉をもちだすことしか考えていないのである。中央銀行が的確な行動をとらなかったならば（あるいは金本位制のもとでは）、国債の増発は長期金利の急騰をもたらす、ということは、長期金利の上昇と国債価格の下落とは同じことだと知っているエコノミストにとっては常識であるからである。

ゾンビ資本主義への変貌

アメリカの政府および金融当局は、新型コロナウイルスの感染拡大とこれにたいする政府の措置によって惹起した経済の急激な収縮に直面して、金融危機を阻止するための行動をただちにとったのである。彼らは、二〇〇八年のリーマンショックの独占資本家的教訓化にもとづいて、かつてのこの金融危機の勃発の後にこの危機を打開しのりきるために採った諸政策を、金融危機を未然に防止するための政策として採用し実施したのである。

生産と販売の急落によって財務危機におちいった諸企業を救済するために、政府は、膨大な国債を発行して得た国家資金をこうした諸企業に注入した。これに呼応して、金融当局は、金融市場の崩壊をくいとめるために、市場から国債を無制限に買い入れるという政策をうちだし実施する、というかたちで、その国債を買い支えた。それとともに、金融当局は、すでに死に体と化していた諸企業を存立させ、かつ金融諸機関の破綻を防止するために、CP（コマーシャル・ペーパー）や社債、ジャンク債までをも、そして種々のジャンク債やレバレッジドローンを寄せ集めて組成されたさまざまな証券をも、市場で買いあさった。金融諸機関は、いろいろな社債や債権を抱えこんでいたのであり、金融当局としては、それらの価格を、だからジャンク債といえどもその価格を、下落させるわけにはいかなかったのである。しかも、生産・流通・消費の収縮のあおりを食らって暴落した株価を回復させるためには、一方では、諸企業の財務状況は安全である、というように見せかけなければならず、他方では、金融的投機に走る諸独占体や金融諸機関や投機屋どもに、株を買う資金をあたえなければならなかったのであって、このゆえに、金融当局は、ゼロ金利政策を実施するとともに、もろもろの金融商品を買いこむ、というかたちで金融市場に資金を注入したのである。

こうして、政府および金融当局が国家資金を諸企業や金融市場に注入することによって、すでに死に体と化している諸企業があたかも生きているかのように見せかけられ、金融市場および金融諸機関が、つまりは既存の金融構造が、幻想的なかたちで維持されている、という政治経済構造がつくりだされたのである。これは、ゾンビ資本主義と呼ぶべきものである。

日本もまた同様である。

日本に特徴的なことがらを一つ挙げておくならば、次のことがある。

日銀は、これまで、日本の諸企業の株価をつり上げるために、ＥＴＦ（上場投資信託）をどしどし買い入れてきた。今年に入って新型コロナウイルス感染拡大の影響をうけて株価が暴落するのを少しでも食い止めるために、そして暴落した株価の回復を図るために、日銀はこれの購入をさらにいっそう増やしてきた。こうして、日銀の保有するＥＴＦの総額は、東証一部に上場するすべての株式の時価総額の五％超となった。日銀は、日本の企業総体の大株主となったのである。日銀による国家資金の注入によって、日本の諸企業はその経営を維持することを許されているのであり、日本の金融市場はその崩壊をまぬがれているのである。このことは、日本の国家独占資本主義もまた、ゾンビ資本主義に変貌したことを端的にしめすものにほかならない。

金融的収奪の強化

政府および金融当局による諸企業と金融市場への国家資金の注入というかたちでの経済危機のりきり策の実行は、それ自体、金融市場が肥大化していることを、すなわち、ＩＴ産業を産業的基盤として金融的バブルが膨れに膨れあがっていることを物質的前提とする。この金融的バブルを破裂させるわけにはいかない、というのが国家権力者と独占ブルジョアジーの意志なのである。

既存の基幹的諸産業では資本が過剰であり、この部面において何らかの技術革新をなしとげ競争にうちかつことは至難をきわめる、という物質的諸条件のもとで、資本は、ＩＴ産業とレジャー・観光・飲食などのサービス産業に、とりわけ両者の特質をあわせもつインターネットサービス業に、自己を増殖する部面をみいだしてきた。ポケモンに端的にしめされるように、インターネットサービス商品の消費という浪費に人びとを引きずりこむことに、資本は狂奔してきたのである。それとともに、政府および金融当局が超金融緩和の政策――ゼロ金利ないしそれに近い低金利に誘導するとともに市場に膨大な資金を流すというそれ――を実施しているという諸条件のもとで、諸独占体や金融諸機関やまた投機屋どもは、流された資金をみずからのもとに集め、この資金を金融市場で投機的に運用して金融的利益を得、この利益を金融資産として蓄積する、という行動をとってきた。政府および金融当局がこのような政策を採ったのは、国家資金をたえず金融市場に投入して、株価をつり上げていくとともに、もろもろの形態の諸資本に幻想的な金融的利益を得させておかないことには、これらの諸資本は財務上の破綻をひきおこしてしまうことになるからである。

右にのべたうちの後者の側面つまり金融面をみるならば、それは、巨大金融資本による、労働者や自営業者などの勤労者やまた弱小資本からの金融的収奪の強化である。

国家は、みずからの資金を金融市場に投入する。金融資本は、この資金を他人資本というかたちでみずからのものとして、これを、金融市場において金融諸商品の売買というかたちで運用する。こうすることによって、この資金は金融市場において自己運動し、消費手段や生産手段となる諸商品の市場には回らない。諸企業は、自企業にとって生産手段となる諸商品を買うためには自己資金以外にはわずかばかりの借入金を必要とするにすぎず、種々の形態のこの借入金部分は、国家が投入する資金全体からすれば微々たるものでしかないからである。また、労働者は賃金を低く据え置かれたままであり、生活諸手段をこれまで以上に買うことはできないからである。しかも、種々のインターネットサービス商品を買うように社会的にしめあげられ、得た収入をこれに充てなければならないからである。

こうして、投入された国家資金は、金融諸商品の種類とその量の増大およびその価格の上昇というかたちをとって、諸独占体や金融諸機関とそれらの経営者、ならびに投機屋どもという人格的形態をとった金融資本のもとに金融資産として蓄積されていくのである。これが、格差の拡大というように現象しているところのものである。

金融資本によるこの金融的収奪は、金融資本が、国家によって投入された資金をまるごとみずからのものとし、労働者にとっては、自分の賃金は低いままであり、しかも食べることも着ることも住むこともできないものを買わされる、というかたちをとるがゆえに、見えにくいのである。人口の一％あるいは一〇

％を占めるだけの奴らがあんなに資産をもっているのに、俺たちは何も持っていない、というように、労働者にはわかるにすぎないのである。

まさに、この金融的収奪の全構造が崩壊するのをくいとめるために、政府および金融当局は、——政府の負債が膨れあがるとともに金融当局のもとに金融資産が膨大に累積するのをものともせず——国家資金を諸企業と金融市場に注入したのである。

このような構造を分析し明らかにすべきなのであって、ただただ「パンデミック恐慌」などと騒ぎたてるのは、そうする者の経済学的無知と分析力の衰退をさらけだすものでしかないのである。

二〇二〇年九月七日

〝労働力の「価値」貫徹論〟とは何か

——菊池薫「賃金論のために」（『スターリン主義の超克 5』所収）を学んで

山里花子

スターリニストの「賃金論」と対決をすることを通して、マルクスが明らかにした賃金にかんする理論を、すなわち「労働力の価値または価格の労賃への転化」（マルクス）の本質的論理を主体化することが私の課題である。そのために、スターリニストの「賃金論」（〝労働力の「価値」貫徹論〟）の基本構造をまずはとらえなくてはならない。

〝労働力の「価値」貫徹論〟とは何か

ソ連邦科学院経済学研究所が著した『経済学教科書』（合同出版・改訂増補第四版、第六章「賃金」以下、『教科書』と略す）では、次のように展開されている。

「労働力の価格としての賃金は、他の商品の価格とちがっている。資本主義社会の他のあらゆる商品の価格は、需要と供給の影響をうけて価値を中心に上下するが、一方、労働力という商品の価格は、その価値以下にずれる傾向をもっている。資本主義のもとでは、労働力の供給は通常は、その需要を上まわる。プロレタリアは、かれがもっている唯一の商品――労働力――の販売をさきにのばして、労働市場の条件が好転するのをまっているわけにはいかない。資本家は、それにつけこんで、労働力の価値よりも低い賃金を労働者に支払う。」(「資本主義のもとでの実質賃金の低下の傾向」一八四～一八五頁。――傍点は原文、以下同じ)

「労働力の価値からの賃金のずれには、限界がある。……資本家は、利潤をふやそうとして、賃金を肉体的な最低限以下にひきさげようとたえずつとめる。ところが一方、労働者は、賃金切下げに反対し、賃上げ、最低賃金制の確立、社会保障の実施、労働日の短縮のためにたたかう。この闘争では資本家階級全体とブルジョア国家が労働者階級に対立する。それぞれの具体的な時期における賃金水準は、労働力の価値を一定とすれば、プロレタリアートとブルジョアジーの階級的な力関係によってきまる。」(「労働者階級の賃上げ闘争」一九〇～一九一頁)

労働力の価値についてのスターリニストのつかみ方を図式的にしめすと、次のようになるであろう。

「労働力の『価値』を横線でしめし、この横線より下の方に現実に支払われている賃金を観念的に位置づける。つまり、①現実には賃金はつねにかならず労働力の価値以下に支払われている、②だから価値以下に支払われている賃金を階級闘争(賃闘)によって、上=労働力の「価値」におしあげてゆく、つまり労働力の価値どおりに支払わせるために賃闘をたたかう、とするのである。」(菊池薫「賃金論のために」『スターリン主義の超克 5』所収、一一三～一一四頁。――以下、「賃金論のために」とする。)

このようなスターリニストの「賃金論」＝価値貫徹論なるものをひとことで言うならば、〝階級闘争をつうじて、「価値」どおりの賃金を支払わせる〟、という代物にほかならない。

「価値法則に支配されているものが、その担い手となっている賃労働者（自己の労働力を商品として販売せざるをえなくなっている賃労働者）が、おのれを支配しているものとしての価値法則を廃棄するのだ、というようには、スターリンおよびスターリニストはその客観主義・唯物主義のゆえに問題をたてられない」（「賃金論のために」一二〇頁）、ということなのだ。現実に支払われている賃金は常に労働力の「価値」以下におさえられているから、階級闘争によって労働力の価値どおりに賃金を支払わせなければならない、というように価値貫徹論者は主張する。それは、彼らスターリニストは労働力の「価値」なるものを一定不変の固定的なものとしてとらえている、ということを意味する。

スターリニストが労働力の価値を一定不変のものと捉えるのはなぜか？

先の『教科書』において、スターリニストが〝労働力の「価値」〟についてどのように論じているのかをみていこうと思う。第四章「資本と剰余価値、資本主義の基本的経済法則」のなかの「商品としての労働力。労働力という商品の価値と使用価値」（二一八〜二二二頁）という節では次のように書かれている。

「……すなわち、商品としての労働力の価値は、労働者とその家族をやしなうのに必要な生活手段の価値に等しい。『労働力の価値は、他のどの商品の価値ともおなじように、この特殊な商品の生産に必要な労働時間、したがってまた、それを再生産するのに必要な労働時間によって規定される』（マルクス『資本論』)

社会の歴史的発展がすすむにつれて、労働者のふつうの欲望水準も、またこれらの欲望をみたす手段も変化する。国がちがえば、労働者のふつうの欲望水準もおなじではない。その国がたどってきた歴史の道と賃金労働者階級が形成されてきた条件の特殊性によって、この労働者階級の欲望の性格がだいたいきまる。気候その他の自然条件もまた、衣食住にたいする労働者の欲望にある程度の影響をおよぼす。人間の肉体力の回復に必要な消費物資の価値だけでなく、労働者が生活し教育をうける社会的条件からうまれる、労働者とその家族の一定の文化的な欲望をみたす(子供の教育、新聞や雑誌の購読、映画や演劇の鑑覧など)ための支出も、労働〔原文どおり〕の価値にふくまれる。

資本家は、いつでもまたどこでも、労働者階級の物質的生活条件と文化的生活条件を最低の水準にひきさげようとつとめるが、労働者は、企業家たちのこういうたくらみに抵抗して、自分の生活水準をたかめるために頑強にたたかう。」

さて、以上のスターリニストの主張は、マルクスの労働力の価値の規定(『資本論』第一巻第二編、第三節「労働力の購買と販売」)についてのスターリニスト流の理解内容をしめすものである。原典にたち帰りながら、彼らの頭のめぐらし方を再現してみよう。

まずはじめに、彼らスターリニストは、「労働者のふつうの欲望水準」は「社会の歴史的発展がすすむにつれて」変化するし、「国がちがえば」「同じではない」、そして、「労働者階級の欲望の性格は」「その国がたどってきた歴史の道と賃金労働者階級が形成されてきた条件の特殊性によって」「だいたいきまる」——というようにとらえている。

彼らは、マルクスの当該部分の叙述――すなわち「……他方、いわゆる必然的欲望の範囲は、その充足の仕方と同じように、それじしん一つの歴史的産物であり、したがってまた大部分は一国の文化段階に依存する」、「だから、労働力の価値規定は、他の商品のばあいとは反対に、歴史的および精神的な要素を含んでいる。だが、一定の国にとっては、一定の時代には、必要生活手段の平均範囲が与えられている」(『資本論』河出書房新社版　第一分冊一四五頁・下段)――を、歴史的に具体的な現実そのものに実在化してとらえているのではないか、と私は思う。マルクスは、「労働力の価値規定は……歴史的および精神的要素を含んでいる」、「だが、一定の国にとっては、一定の時代には、必要生活手段の平均範囲が与えられている」と述べているが、この「……必要生活手段の平均範囲」を具体的・個別的な「物質的」・「文化的」諸「条件」そのものである、とスターリニストはとらえているのではないか、と思う。なぜならば、彼らは右のマルクスの表現を「国がちがえば」とか「その国がたどってきた歴史の道……」、というようにわざわざ言い換えているからである。彼らは、マルクスのいう「必要生活手段の平均範囲」を「労働者のふつうの欲望水準」と言い換え、あるいは「与えられている」というマルクスの表現を「だいたいきまる」と言い換えている。つまり、マルクスの叙述を、現実の歴史の発展過程に倒して解釈しているように私には思えるのだ。

マルクスの「一定の国にとっては、一定の時代には……」という表現は、「本質論的抽象にかんするマルクス的な表現」(『労働運動の前進のために』一五二頁)なのである、というようにとらえかえさなくてはならない。このマルクスの表現は、「……全商業世界を一国とみなし……」(前掲『資本論』第一巻、第二二章「剰余価値の資本への転化」、第一節、注二一a　四五九頁)という表現や、「価値=価格」という把握などと同様に、理論的レベル（本質論）を確定するためのマルクス的表現なのである。

「ところで、そのさいに、『ある歴史的および〔社会的＝〕道徳的要素』というように限定されているのは、資本制商品経済をうみだした社会の伝統的文化や生活様式や慣習などによって労働力商品の価値の水準（大きさ）は一義的には決定されない、ということが念頭におかれていることをしめしている以外の何ものでもない。それゆえに『ある』という限定が付されているのである。」（『労働運動の前進のために』一五二頁）

ここでは、マルクスは、労働力の価値は〝可変的である〟とか〝一定不変である〟とかとは、ひとことも言ってはいないのである。

ところで第二の問題は、スターリニストが価値量に引きよせて労働力の価値の本質規定を理解してしまう、ということである。

スターリニストは、「すなわち、商品としての労働力の価値は、労働者とその家族をやしなうのに必要な生活手段の価値に等しい」と述べている。このスターリニストの展開は一見正しいかのように思えるが、しかしマルクスは「価値に等しい」という表現は使わず、「価値である」とか「帰着する」とか「規定される」という表現を使っている。ところが、彼らスターリニストは、あえて「等しい」と表現することによって、〝本当はどの位の生活諸手段が必要なのか〟というように解釈するのだ。このことは、彼らが〝搾取されている〟という事実に引きよせて、「資本家は、いつでもまたどこでも労働者階級の物質的生活条件を最低の水準に引き下げようとつとめる」と結論づけたいがため――つまり、現実に支払われる賃金は労働力の価値以下である、ということを言いたいがため――ではないか、と私は思う。そのために、あるべき〝労働力の「価値」〃にその量的大いさを入れて説明＝解釈するのではないだろうか。「価値」どおり支払われないから労働者は家族をやしなえない、というように。いいかえるならば、彼らは、価値量に引きよせるかたちで、労働力の「価値」を解釈しているのだ。

実際スターリニストは、「交換される商品が等しいということの基礎になっているのは、それらの商品を生産するのに支出された社会的労働である。……価値は、商品に体現された、商品生産者の社会的労働である」（『教科書』「商品とその性質。商品に体現された労働の二重性」八〇～八一頁）と述べている。スターリニストは、商品の価値とは何か、ということを説明するとき、この「支出された社会的労働」に引きよせて解釈しているように思える。しかも同時に、「価値」はどのようにしてつくられるのか、というように頭をめぐらせるのではないだろうか？　「支出された労働」なるもの、これはどのように・またどれだけの社会的労働が支出されたのかというように、あたかも生きた労働を論じているかのように彼らは理解しているのだ。マルクスは、『資本論』（前掲・第一巻、第六篇、第一七章「労働力の価値または価格の労賃への転形」四二三頁・下段）で、「だが、商品の価値とは何か？　商品の生産に支出される社会的労働の対象的形態である」と述べている。この「支出される社会的労働」は、生きた労働ではない。あくまでも商品体に対象化された死んだ労働なのだ。この商品体に対象化された死んだ労働が価値という規定性を――価値＝交換関係を媒介として――うけとるのだ。スターリニストは、論理的には、「対象化」とか「対象的形態」の理解もアイマイなのである。

ところでわれわれは、「労働力の価値の本質規定と労働力の価値量についての規定とを分化し、労働力の価値量を可変的なものとしてとらえ」（「賃金論のために」一一四頁）、両者を構造的に理解する。われわれは、「労働力の価値は労働力を再生産（および生産＝繁殖）するために必要とされる生活手段の価値によって媒介的にしめされる」（同前、一一六頁）、と理解する。そして、このような理解の根底には、マルクスの『資本論』（第一巻、第一編、第一章）で展開されている〈価値形態の論理〉があるのだ。すなわち、——A商品はB商品をみずからに等置する。こうすることにより、A商品の価値はB商品の使用価値においてあらわされる。すなわち、B商品の使用価値は、A商品の価値の鏡（価値鏡）となる。これが〈価値形態の論理〉である。労働力商品の価値の本質規定を論じる場合にも〈価値形態の論理〉を適用しなければならない。すなわち、労働力商品は、商品としての生活諸手段をみずからに等置する。こうすることにより、労働力商品の価値は、商品としての生活諸手段の使用価値において表現され、後者が前者としての意義をもつ。このように、価値形態の質的関係の把握が商品としての労働力にも妥当するのだからである。（『賃金論入門』一六頁参照）

さて、以上のように考えると、「労働力の価値の大いさは、労働力の価値の本質規定とは直接関係ない」（「賃金論のために」一一六頁）というように理論展開されているのは、価値形態の質的関係を問題にしているときに量の問題は入ってこない、ということではないかと思う。

労働力の価値の本質規定とその価値量の規定との構造的把握について

では、われわれは、労働力の価値の本質規定と、その価値量とを、どのように構造的にとらえたらよいのであろうか。

「労働力商品のばあいには、その価値は本質的には商品としての労働力の再生産（および生産＝繁殖）に必要とされる生活諸手段の価値によって媒介的に規定される。しかし、労働力の再生産（および生産）のために必要な生活諸手段の質と量は、それがおこなわれる一定の歴史的・社会的・文化的な諸条件によって異なるのであるからして、労働力の価値の大きさは具体的には歴史的・社会的・文化的に可変的であり多様多種である。」（『唯物史観と変革の論理』一五八頁）

「賃金論のために」では、一一五頁で右の引用を載せて展開しているのであるが、ここで重要だと思うことは、（イ）労働力の価値の本質規定と、（ロ）労働力の価値量についての規定とを分化し、労働力の価値量を可変的なものとしてとらえている、ということだと思う。また、労働力の価値を「一定の歴史的・社会的・文化的な諸条件によって異なるのであるから」というように、「限定のもとに」論じていることが重要である、と思う。労働力の価値を一定不変的なものとして捉えるスターリニストとは、明確に異なるところである。

さらに、右の引用箇所では、労働力の価値は、「本質的には商品としての労働力の再生産（および生産＝繁殖）に必要とされる生活諸手段の価値によって媒介的に規定される」、と展開されている。ここが、また重要な箇所である。「媒介的に規定される」、ということは、直接的には表現できない、ということである。では、どのように「媒介的に」規定されうるのか？

労働力の価値の価値量が、労働力そのものに対象化されている労働量によって直接的に決まるのではない、「媒介的に規定される」ということは、「労働市場におけるもろもろの労働力商品のたえざる交換をつうじて、つまり事後的に決まる」（『賃金論入門』九一頁）ということである。

すなわち、商品＝労働市場におけるたえざる交換をつうじて事後的に決定される労働力商品の価値の大いさを、宇野弘蔵の「規定するもの〔価値〕が規定される」（『「資本論」入門』八二頁）という論理を適用して、労働力商品価値の現象形態であるところの賃金の変動に逆規定されて、賃金の本質としての労働力商品の価値も変化する、としてとらえなければならない、ということではないだろうか。

「一般商品の価格の晴雨計的変動や階級闘争をつうじて、あるいは景気循環ないし産業循環をつうじて、賃金は変動する（p_1……→p_2……→p_n）。賃金が変動することによって、賃金という現象形態をとっている労働力の価値あるいは賃金の本質としての労働力商品の価値（W）も、自己同一をたもちながらも変化する（W′）のである。」（『賃金論入門』九二頁）

二〇二〇年八月六日

みんなで　一緒に力を合わせて　つくろうよ
うち破れ！コロナ危機「臨時政府の歌」

〔『俺ら東京さ行ぐだ』（作詞・作曲 吉幾三）の曲にのせて〕

集治水風

1

住み家もない！
会社はあっても給料はない！
ふえるのは住宅ローンばかり!!
おら、こんな会社やだ
おら、こんな会社やだ

仕送りない！
バイトもない！
校舎あっても授業はない！
ふえるのは学資ローンばかり!!
おら、こんな大学やだ
おら、こんな大学やだ

ミルクはない！
食べものもない！
家はあっても家族はない！
仕事はない！

原発あっても電気はこない！
ふえるのは無理心中ばかり!!
おら、こんな社会やだ
おら、こんな社会やだ

検査もない！
薬もない！
病院あっても医者いない！
ふえるのは行き倒ればかり!!
おら、こんな日本やだ
おら、こんな日本やだ

論戦はない！
「議員」もいない！
国会あっても宣言しかない！
ふえるのは汚れた利権ばかり!!
おら、こんな国家やだ
おら、こんな国家やだ

学生さんこいよ！
運転手もくるだ！
病院なくても医者もいるよ！
みんなでほんとの政府つくろう!!
おら、みんなと連帯するだ
おら、みんなと連帯するだ

2

給料もない！
手当もない！
会社はあっても仕事はない！
ふえるのは借用証文ばかり!!
おら、こんな社会やだ
おら、こんな社会やだ

定職はない！やどもない！
マスクはない　給付金もらえない！

ふえるのは賭博とドロボーばかり！！
おら、こんな世の中やだ
おら、こんな世の中やだ

ミルク買えず　赤ちゃん死んだ！
家はあっても電気はない！
原発あるけど電気はこない！
来るのはコロナウイルスばかり！！
おら、こんな田舎やだ
おら、こんな田舎やだ

ＰＣＲ検査機あっても使わせない！
アビガンもコネないと飲ませない！
ふえるのは無縁仏ばかり！！
おら、こんな都会やだ
おら、こんな都会やだ

調査しない！「議論」しない！
「ひな壇」あっても「人形」ばかり！！
ふえるのはカネの亡者ばかり！！
おら、こんな国会やだ
おら、こんな国会やだ

学生さんこいよ、労働者もくるだ！
真正の「理論家」もいるよ！
みんなとほんとの政府つくろう！！
みんなで、みんなと連帯するだ
みんなも、みんなと連帯するだ

3

雇い止め！すえは「お嬢か*Ｃ・Ｌ」！
身体はあってもこころはない！
ふえるはファックタリングばかり！！
おら、こんな世の中やだ
おら、こんな世の中やだ

故郷はない！ 帰る家もない！
お金もないけど仲間はいるだ
ふえるは仲間たちだよ
おら、こんな社会変えるだ
おら、こんな社会変えるだ

赤ちゃん殺すな！
家はなくても家族はあるよ
電気はいるけど原発いらない！
ウイルスもっといらない！
おら、こんな世界変えるだ
おら、こんな社会変えるだ

検査機あるのに買わない！
高額のクスリ買わせて！
太るは安倍や習やトランプの腹ばかり!!
おら、こんな資本主義やだ
おら、こんな資本主義やだ

意見は言わない！
支配者の言いなり！
ふえるのは盲従分子ばかり!!
おら、こんな議会やだ
おら、こんな議会やだ

みんなこいよ、みんなが起ちあがろう！
本物の「民衆革命」をやろう!!
みんなで力を合わせて
世界のみんなと連帯するだ
世界のみんなも、連帯するだ

＊　チャット・レディ

映画「赤い闇　スターリンの冷たい大地」を観て

円　奈々

この映画を観ようと思ったのは、ホランド監督の「ソハの地下水道」という彼女の監督した実話ベースの映画を数年前に観ており、安易な反共映画ではないと直感したからだった。

映画は、レーニン亡き後の一九三〇年代初頭。一九二九年勃発の世界大恐慌真最中の時代である。当時のソ連国内の実情は、昔の北朝鮮のようにベールに包まれており、主人公ジョーンズ記者を含めて外国からの客は皆同じホテルに泊まらされた。別のホテルには泊まれないのだった。そこでは乱痴気パーティーが繰り広げられており、ピューリッツアー賞を取っている有名なニューヨークタイムズの記者もパーティーに興じており（国賓だったのだろう）、世界大恐慌の中のソ連の「繁栄」の謎はわからない。（そのニューヨークタイムズの記者はのちに「腹を空かせているが飢え死にしているわけではない」とジョーンズの記事を否定する記事をニューヨークタイムズに掲載。）「１９８４」を書いたオーウェルも「壮大な実験には犠牲はつきもの」とスターリンを擁護する。（のちには批判をして「動物農場」などを書いたのだが。）ジョーンズは、ここでは何もわからないと、ニューヨークタイムズ記者の部下からのヒント「ウクライナ」の言葉を頼りにウクライナに出向く。そこで見たものは、列車に乗せて運び出される大量の小麦袋、無口で、正気を失うしかなかった飢えた民衆。悪夢のような冬の町、飢えて死んだ人が固くなった雪の上に倒れている。子どもの悲しげな歌声が流れるが、これは当時実際にあった歌の歌詞で、現在ではメロディはわからず映画を作るにあたり曲を付けたとのこと。モノクロに近い映像によく合っている。それらを目撃したジョーンズは変わっていく。監督は「真実と向き合うことで純粋無垢さを失う悲しい変化でもある」と言っている。しかし、私は、われわれは、残酷であろうと、歴史上起きた事実と向き合う義務がある、と強く思う。ジョーンズ記者を尊敬する。命がけで取材してくれたことに感謝する。

先輩に勧められて、北井信弘著『経済建設論』（西田書店）を手にとった。第一巻Ⅲ「現代ソ連邦の自己解体、その根源をなすもの」を読み、ソ連崩壊の根源が、スターリンによる農業の強制的集団化にあったことを理解した。スターリンの農民の扱いはひどいものだった。またスターリンは自分の命令で動いた下部活動家をも裏切った。ウクライナだけではなく、北カフカス、ボルガ下流での農民の大量餓死。これは、反共のためのプロパガンダとしてではなく正しい歴史として皆が知るべきだと思う。（スターリン主義国以外の国でもそういった事実は沢山あるが。）

スターリンの国家の価格＝租税政策によって、農民だけでなく工業労働者も収奪された。一九二九年にスターリンが発した「階級としてのクラークの絶滅」の指令が農業の強制的集団化の結節点をなし、一九三三年の穀物の義務納入制をもって、農民からの収奪の構造が確立された。労働者たちや農民たちが生きと労働に励むことがなくなったことは、自分がその立場であるというように想像すると、その気持ちがよく理解できる。旧ソ連の労働者たち・農民たちは不幸だった。

第二巻Ⅲ「マルクス主義のロシアへの適用」（創造ブックス刊『レーニンとロシア農民』「かえりみられ

なかったマルクスの手紙」も同じ）を読むと、ホロドモール（ウクライナにおける大量餓死）は、もしかしたら避けられたかもしれない、と私は考えた。

「もし、ロシア革命が西欧のプロレタリア革命にたいする合図となって、両者がたがいに補いあうなら、現在のロシアの土地共有制は共産主義的発展の出発点となることができる。」（一八八二年『共産党宣言』ロシア語第二版序文）これが、マルクス＝エンゲルスの言葉であった。

マルクスの、女性革命家ヴェラ・ザスーリッチへの手紙の草稿にも、ロシアの資本主義化の特殊性の分析とともに、次の記載がある。ロシア社会の「全般的運動」の、全般的な蜂起のただなかでのみ「農村共同体」の局所的小宇宙性が打破されうる、ロシアの「農村共同体」は近代社会が指向している経済制度の直接の出発点となることができる、それは自殺することから始めないでも生まれかわることができる、と論述されていた。

もしマルクスが強靭な体質であって、もっと長生きをしていたら。レーニンがマルクスの言葉をもっとしっかり受けとめていたら。そして、スターリンの異常性を早期に見抜き誰かがそれを封じ込めることが出来ていたら。簡単なことではないと思う。ソビエト連邦が、真に労働者の国になっていたら。あのように莫大な犠牲者は生まれなかった。餓死した人々、銃殺された人々、侵略された国々。

でも、マルクスはロシアの農業について、しっかりと見通していたことを思うと、一筋の光が見えてくるのである。

私の好きな作家のなかに宮沢賢治がいる。彼は岩手で困窮する農民に心を寄せていたが、「日本にはマルクス主義はなじみにくいと思う」と述べていた。一応マルクス主義を勉強しての言葉と思う。彼は警察に尾行されたこともあった。日本にはミールはなかったが、独特の農村社会があった。それを全部ちゃらにして新しい世界を作ることは無理があると思ったと私は推察する。しかし、それを活かしたうえでの革命がありうると知ったら、彼はまた違った意見を持ったのではないか。……などと夢想した。

二〇二〇年九月二九日

Ⅱ　コロナ危機にたちむかうわれわれの思想問題

黒田さんの批判の矢印をおのれに向けよう

西知生

一　コロナ危機に直面して若き日がよみがえったのでしょうか

加治川さん。先日松代さんと佐久間さんに来ていただき、辺見問題について伝えていただきました。始めは、何が何だか分からないというのが正直なところでした。私は宣伝用パンフのことも知らず、論議の過程も分かってはいません。実のところ辺見庸についても何も知らなかったのです。頂いたレジメを読み、そして辺見のブログを読みました。辺見の本も買いに走り、『純粋な幸福』という著作をさらっとですが読みました。討論の過程も分からず軽々に口を出すべきではないとも思いましたが、私のことで足を運んでいただいたあなたの顔がどうしても浮かんでくるのです。

私は加治川さんが何故宣伝用パンフに辺見を引用したのか理解できませんでした。たとえ「考える人」というように規定性を変えたとしてもです。そして加治川さんからいただいた一九七〇年ころの文集のことを思い出しました。文集には当時の思想状況が反映されています。読ませていただいた詩にも、当時流行った現代詩「荒地」派とよばれた詩人たちの作風の影響が見て取れました。

シュルレアリティックな技法で難解な言語と隠喩を用いてイメージを創り上げるという作風でした。思想的には体制に対して個を対置するというものでしょうか。吉本隆明もかかわっていたと思います。文集のなかに「絶対的孤立者としての個」という投稿があります。その投稿の最後に「〇〇大の現在的状況にあって、実は何よりもまず、〈個〉の自覚が確立され、ノンポリからリベラル、リベラルからラディカルそして変革という姿勢が意識や心情だけでなく〈個〉の全人格的行動として現わされなければならない。」という節があります。当時の思想状況が反映していると思います。辺見はそのにおいがするのです。明らかに当時の体制に対する個という思想状況を引きずっていると思います。いや今日においてはさらにニヒリスティックに陥っていると思います。加治川さんは辺見のことを「へそが曲がったアナーキーな面を持つ偏屈なリベラリスト」と規定されましたが、アナキズムの根底には何があるのでしょう。私はブルジョアアトミズムを基底としたニヒリズムだと思います。私は彼の思想の根底にはそれがあると思います。辺見の散文には一九六〇年代後半から七〇年にかけての作風と思想性を引きずりつつ、現代すなわちネオファシズムが強化されつつある今日におけるニヒリズムが漂っていると思います。（たぶんそれが読者に受けるのでしょう。）プロレタリア的自覚は、ニヒリズム的なものを経てさらにそれを否定的にのりこえて獲得されると思うのです。

加治川さんもまた当時の思想状況をのりこえ決別し、反スターリン主義者として自己を創り上げてこられた。厳しい闘いの連続であったと思います。私にはできなかった。革マル派現指導部の変質に対しても妥協することなく闘いを貫徹された。苦闘という言葉で簡単には言い得ないことだと思います。私はそこから逃げたのですから。私は、私たちの自己意識（感性も含めて）は自然的人間の実践と人間的自然＝社会的人間の実践の統一された実践の中で創られてくるものだと思います。実践を通じて自己の中に肯定的に内在化されたもの、否定的に内在化されたもの、あるいは肯定的に内在化されたものが否定的に内在化されなおす場合もあるでしょう。その逆もあると思います。幾重にも幾重にも積み重なり融合し自己意識は形成されるように思います。

「マッチ擦る　つかのま海に霧深く　身すつるほどの　祖国はありや」

寺山修司の短歌です。一九五七年、六〇年安保の三年前、戦後復興から高度経済成長期に入る時代であると思います。と同時に国家が再び大きな力を示し始めた時期なのでしょう。その時代における民衆の不安、ある意味では虚無的な意識を表現した歌だと思います。私は高校時代この歌が好きでした。今もそうです。寺山修司を肯定的にみている訳ではありません。むしろ否定的にみています。しかし私の何処かにこの歌に引かれるものが残っているのだと思います。詩や短歌などの、あるいは散文も含めて、短詩形文学は自己の中に内在化され沈殿していたものを引っ張り出します。

勝手な推論になって申し訳ないと思うのですが、加治川さんが辺見を宣伝用パンフに引用しようと思ったこと、辺見のブログを読み著作を買い求め読もうとしたこと、それは何処か辺見に引かれるものがあったのではないでしょうか。確かに、ニヒリストが鋭敏な感性で権力をとらえる場合、鋭角的な鋭い場合はあると思います。とりわけ詩や短歌・散文などの短詩形文学はその一瞬をとらえその一瞬の感性を表現するのですから、そうでしょう。その一点において引かれるものもあると思うのです。しかし私は加治川さんが引用した辺見のブログについては嫌悪を感じました。

「考える人」は、最初に「辺見は社会の「底」の立場に立ってコロナ危機を見据えている」と言います。加治川さんは「考える人」という規定性に立ってこの導入の一文を書いたと言われるでしょう。そうでしょうか。自己を凝視してください。加治川さんが辺見に引かれた何か、辺見を引用して宣伝パンフの読者をオルグしようとした何かがこの一文にあるのではないでしょうか。かつての学生時代の思想的状況の中で、反スターリン主義者として自己を確立しようとする以前に感覚し思惟して内在化されたもの、勿論それは加治川さんの中ではすでに否定的に克服され内在化されてきたものであるはずのもの。それが辺見の文章によって引っ張り出されたのではないでしょうか。私には導入の最初の一文がどうしても加治川さんと「考える人」との同一性として読めてしまうのです。

加治川さんは「辺見はコロナ危機の悲惨な諸事態を辺見的に見つめており、資本主義は危機的だと言っているが」と書いておられます。そして「彼は決して労働者階級の階級的団結を創造しようとは言わない。新しい社会をつくるために考えようとは言わない。」と辺見を否定していると言われます。しかし私は「辺見的な諸事態の見つめ方」に嫌悪するのです。

「まだまだこれからだよ。まだ先。人の目が猷じみるのは。記憶がある。寂れた夕まぐれ。駅前。失業者たちの目が赤く、ときに金色に血走る。知っている。見たことがある。忘れてしまっているのだろう。そのような時代の、かたわれどき、ひとの輪郭が煮こごりみたいに崩れる。瞳がなぜか煮こごりのなかに奥まって、凝りのなかから哀れがましく、恨みがましく光る。燐光の殺意。」

と彼は、私達を、今解雇され生活の行方も知れない途方に暮れる労働者を、こう描写するのです。家賃の支払いに追われ、ライフライン・通信手段の遮断に怯え生きている我々を、そしてコロナウイルス感染の不安に怯えながらそれでも仕事に行かなければならない労働者を、必死で仕事に縋りつかなければ生きていけない労働者を、彼はニヒリスティックな眼で眺め、こう表現しているのです。加治川さんはどう思われますか。さらにふみこんで言えば、辺見はそれを売りにしているのです。彼はどう時代を見つめどう表現すれば読者に受けるのか、知っている。それを意識している。意識しないプロの作家などいない。私はそう思っています。

私は加治川さんとお話をさせていただいて、「凄いバイタリティーのある方だなぁ」と思いました。厳しい闘いの中で屈することなく反スターリン主義者として主体性を貫き通された太さのようなものを感じました。しかし加治川さんの○月五日に書かれた原稿にはそれを見て取ることはできません。

加治川さん、反スターリン主義者の哲学的支柱とはなんでしょう。それは己を実践的唯物論に基づいて見つめ変革することではないでしょうか。私にはそれがなかった。できなかった。

加治川さん、いま一度諸同志のみなさんの批判に真摯に向かい自己を見つめ直してください。私は加治川さんの思想的苦闘をともに学ばせて頂きたいと思います。

二〇二〇年五月

二　私は私に黒田さんから大きな拳骨をもらったように感じます

先日、加治川さんと・・さんから『革マル派の五十年』の「指導部建設のための闘争」という黒田さんの論文のコピーをいただきました。七月〇日の会議の前にサラッと読みましたが、今あらためて読みなおしました。私は今、非常に感動しています。何かふつふつと心の底から湧き上がってくるものを感じています。何やら黒田さんから叱咤激励を受けたようなそんな気持ちになっています。

今から一年前に私は〇ブログをみて、松代さんに思いきって手紙を書きました。その時、松代さんは「今からでも遅くない」と、そして「過去の自分と向き合うように」と促してくれました。その時を結節点として、私は己を再びマルクス主義者＝反スターリン主義者たらんとする人間を目指し、過去の自分と向き合うようになりました。まだまだ不十分であることは分かっています。加治川さんからも「彼は過去の自分を引きずっている」という指摘もいただきました。そんな私にドカンと黒田さんから大きな拳骨が落ちたように受けとめています。

「誤読もいいとこだよ。ノー天気な主観主義」と笑われるかもしれません。そうではありません。この黒田さんの松代さんに対する批判は、私に対する批判として叱咤激励として、うけとめなければならないのです。そうして反スターリン主義者＝マルクス主義者たらんとする者すべての人が、己に向けられた批判として、うけとめられなければならない。黒田さんの批判の矢印を己に向けなければならない。そう思っています。

主体性とは何か。実践的な自己意識というべきか、どう捉えるべきか。感性とは、感情とは、思考・判断力に支えられた理性とは、実践的唯物論においてどう捉えるべきか。（西のつぶやき）

加治川さんは松代さんへの批判において、右脳と左脳の働きの違いを引っ張り出したけれども、そんな単純な問題ではない。確かに脳科学の発達・進化によって、脳そのものの働きは解明されつつある。しかし、人間の意識は、その肉体的部位の解明だけでは捉えられない。フロイトからはじまる人間の精神（意識）を対象とする学が、それを取り入れて発展・進歩することはあっても、それにとって代わられることはない。感性といわれるものと、思惟する能力あるいは理性と捉えられているものは、相互に関係し自己の意識を創り出しているように思う。マルクスがフォイエルバッハに関するテーゼにおいて明らかにした人間論、梅本克己によって・そしてそれを批判的に摂取した黒田寛一の実践的唯物論として・捉えられた「主体性」を、さらに深化させつつ掴み取らなければならないと思う。

加治川さんは松代さんの感性的欠如を批判した。というより、揶揄したといったほうがよいだろう。少し長くなるが、理解を深めるために一つの詩を引用したい。

死の誕生

永井浩

そのかたく閉じた目は
幸いに人の荒涼を見ていない。
うすいその唇の奥のちいさな舌は
幸いにことばにとどいていない。
にぎりしめている指の数に足りない日を
無から無へのあいだを
かすかに純粋酸素を吸って
ちいさな裸の人のすがたをして生きてみた
だが遂に耐え得ずして自殺した
死そのものの死ほど
美しい死はめったに無いのだと
まわりのだれが気付いていただろう。

人の死というものが
その上にどのような目的もかぶせられずに
目的のもとに記される名まえではなく

目的のもとに数えられる数ではなく
死そのものとして誕生するということは
人の世界のなかでは
きわめて稀なのだと
しかもいま目のまえで
人のすがたによってそれが
起こったということはめったに無いのだと
まわりのだれが気付いていただろう。

その死のまわりで
ひとびとは間違った会話をした。
ひじように間違った記録をした。
しかもその未熟児の死骸を
酸素室からとりだして空気にさらし
およその死には価いしないことばと
およその生にも価いしないことばと
その他の荒涼なもので
ひとしきりその死を汚した。

この詩はそのまま読めば、嬰児の生死をモチーフにした詩である。生と死と命の尊厳を詩い上げた詩というように、受けとめることができると思う。しかし、この詩が一九七一年の〇〇大学の自治会の文集に投稿されたことを知ると、この詩の受けとめ、読後に沸き起こる感情も変わる。

敗北に終わった学園での闘い。それを作者は嬰児の死にたとえたのではないだろうか。

「ちいさな裸の人のすがたをして生きてみた　だが遂に耐え得ずして自殺した　死そのものの死ほど美しい死はめったに無いのだと　まわりのだれが気付いていただろう。」「およそその死には価いしないことばと　およそその生にも価いしないことばと　その他の荒涼なもので　ひとしきりその死を汚した。」

この言葉の一文字一文字に、学園闘争を闘いぬき敗北した作者の思いが読み取れる。この詩の背景を捉えることによって、作者の思想性を考えることによって、同じ詩が別のものとなって現れる。

ドビュッシーの「月の光」というピアノ曲をご存知だろうか。同じ曲でもフジコヘミングの「月の光」と辻井伸行の「月の光」は違う。ドビュッシーが対象化した同じ楽譜でも、その曲への理解の仕方、捉え方、そしてまたピアニストの感性によって曲が違ってくる。フジコヘミングの「月の光」は、春の生の芽生えに降りそそぐ月の光であり、辻井伸行のそれは、冬の雪の下に眠る命を静かにつつみこむ月の光であるように思う。

感性的なものとは、感性的に捉えられたものと、主体の中にある理性的あるいは論理的に捉えられたものが、相互に規定しあい複合されてつくりだされるように思う。

加治川さんが指摘するように、またプロレタリア文学論争で示されたように、文学あるいは芸術を、「理論」で切りすてることは誤りだと思う。ましてや、従属させる事は誤りである。文学・芸術の幅は理論よりも広い。人間の幅はそれよりも広いと思う。しかしそれを受けとる側は感性的なモメントが先行する人もいるだろうし、その背景や作者の意図を理解した上で受けとめようとする人もいる。感性的な受けとめだけで、深まわらない場合もあるし、論理的な理論的なものが先行して、作品を歪める場合もある。そしてその感性も、その人の「主体性」に規定されている。

加治川さんは「右脳で感じるべき詩を、左脳で解釈してもわからないのですよ」と松代さんを揶揄する。「私は辺見の詩に共感するところがある。石川啄木にも、小熊秀雄にも日野圭三にも……養老孟司にも中村圭子にも共感する。それ自体が悪いとは言えない。小説を読み映画、演劇、ミュージカルを観てその表現世界に観客としての私は入っていく、五体五感で感動を覚えるのです」という感性豊かな人間としての高みに立って。なぜこのような意識に陥ってしまうのだろうか。このような意識が何時に起こり、大きくなってしまったのか。楡闘争の総括の過程かそれ以前か。人を小ばかにするようなものを書いて、他の同志からどう受けとめられるのかということさえ、分からなくなってしまっているのではないだろうか。

一つ押さえておかなければならないことがある。

加治川さんは自覚していないと思うし、松代さんや他の同志も認識していないかも知れない。加治川さんは、松代さんや他の同志の、辺見とその散文に対する批判を、イデオロギー主義だと批判するが、そうではない。松代さんや他の同志の、辺見とその散文に対する批判が、理論的な批判になったのは、それが、「探究派」の若い労働者オルグのための手段として、宣伝用パンフに掲載されようとしたからである。その時、辺見およびその散文は、「探究派」の組織戦術を貫徹するための手段という規定性を与えられたものとなった。だから、散文そのものの内実、その背後の辺見のイデオロギー性を、理論的に批判する方向に向くのである。単なる辺見の散文・作家辺見が、論議のあるいは批判の対象になっているのではない。マルクス主義＝反スターリン主義を背骨とする「探究派」の若い労働者オルグの手段としての、その規定性をうけた散文であるがゆえに、作家辺見が、論議のあるいは批判の対象として、措定されているのである。だから論議・批判は、単なる辺見の散文・作家辺見の文学論的なものに、昇華させるわけにはいかないのである。また「探究派」の若い労働者オルグの手段としての規定性を受けた辺見の散文・作家辺見への批判が、自覚的にあるいは無自覚的に、マルクス主義的な理論的な批判となったからと言って、「文学」に対する理論主義的批判だとするわけにはいかない。ましてや理論的な批判をした松代さんを「右脳で感じるべき詩を、左脳で解釈しても仕方ないですよ。」などと見下して揶揄するのは誤りであり、その精神は悲惨であると思う。他方そのままの辺見の散文・作家辺見をマルクス主義的でないと切って捨てることはできない。誤りである。

少し辺見の散文に戻ろう。私は辺見の著書をすべて読んでいるわけではない。ここに出された散文と彼のブログそして一・二冊のものを読んだだけである。ここに出された散文を対象にして論じるしかない。前に書いた通り、私はこの散文に嫌悪を感じた。底辺のそしてコロナ危機によって街頭に放り出される労働者を、シャブ中の如く表現したからである。加治川さんは、辺見を、辺見的な見方で底辺からものを見ているという。私はそのようには受けとめられない。私は、辺見は底辺に生きる人間とその底辺を作り出している社会を、ニヒリスティックな知識人の作家としての眼から見ているに過ぎないと思う。彼がたとえ山谷に一時期住んでいたとしても、そこで生きてはいない。そこで暮らし、そこで職を得、そこで家族を養わなければならない人間とは違う。知識人の作家の眼はそのままである。「ここは天国　ここは天国釜ヶ崎」と「釜ヶ崎人情」という歌を書いたもず唱平の方が、まだ底辺の人間を知っている。「山谷ブルース」を書いた岡林信康の方が、まだましである。辺見のこの散文を「釜」のおっさんやおばはんに読ませたら、「なんやこいつ、なめとおんのか」となると思う。そこで一生懸命に生きているのだ。否定的に思いながらも肯定的に思いながらも、一生懸命に。

先に引用した詩にも、背後に虚無的な旋律が流れているように思う。作者永井浩は嬰児の死を自殺と書いた。自殺とは意志のある死である。そしてその死を美しいものと表現した。彼にとって、この詩の創作は、学園闘争の最後の闘いであったに違いない。闘い敗北した青年のニヒリズム。なんと美しいニヒリズムか。

私は加治川さんが辺見の何処かに引かれること自体不思議でもないし、それが変質とは思わない。私も、永井浩の詩に感動し引き寄せられた。人間の感性や意志・理性と捉えられるものは、生命体としての肉体の活動と、資本主義的生産様式に規定された社会的人間関係の中での実践によって形成され育まれる。また黒田さんのいうように、マルクス主義者＝反スターリン主義者を志す前に蓄積された教育やイデオロギー、それらの様々なものが、幾重にも幾重にも重なり沈殿し融合して、自己の感性・意志・理性とよばれるものがつくりだされ、人間資質と言われるものを形成する。マルクス主義者＝反スターリン主義者は、その土台の上に、マルクス主義者＝反スターリン主義者としての主体性をつくりだすことを志す。沈殿していたものが、何かの要因によって引っ張り出されることは絶対にある。加治川さんが言うように、ニヒリズムを経験しないマルクス主義者＝反スターリン主義者はいないだろう。既成のものにたいして、何らかの形で疎外感をもち否定感をもってそこにたどり着くわけだから。問題は、引っ張り出されたもの、あるいは、実践に、感性に、思考の傾向に現れる人間資質と言われるもの、土台となっているものを、形成しようとしているマルクス主義者＝反スターリン主義者の主体性をもって、どのように捉え、否定的にあるいは肯定的に、過去的なものを現在的なものへとつくり直していくかであると思う。それはマルクス主義者＝反スターリン主義者を志す者すべてが、松代さんも加治川さんも、必要なことだと思う。加治川さんにその反スターリン主義者＝マルクス主義者としての主体性がないはずがない。しかし、何らかのことを要因として、歪んでしまっているとしか私には思えない。その「要因」は楡闘争の総括過程で芽生えたものなのか、それ以前からもっていた松代さんへの感情なのか。加治川さん、生意気なようだけれど、私に渡してくれた黒田さんの小論文を、松代さんの政治主義・理論主義を暴露するものとしてではなく、己に向けられた批判として読んでいただけないか。

黒田寛一のこの小論の松代に対する批判を、マルクス主義者＝反スターリン主義者を志す者への批判として己に向けられた批判として受けとめてほしい。もはや非和解的な状況であることは分かっている。私は筆が遅い。考えては書き書いては考える。少ない睡眠時間を削ってこれを書いているのも虚しいように思う。しかし、黒田寛一のこの小論を松代の理論主義的・政治主義を暴露するものとしてではなく、自分に対する批判として、また松代さんには・・さんから政治主義という批判がある以上、どうだったのか、どうなのかということを、この小論を再読しつつ考えてもらえないか。この論議が、どういう形になるにせよ今後のために活かされるために。「むつかしい」と書いた言葉に、私は松代さんや佐久間さんの苦悩を読み取る。単に・・さんの批判が正しいとは思わない。・・さんは、松代さんをはじめとする執行部の人と論議すべきであると思う。

日本反スターリン主義運動は、残念ながら革マル派現指導部のようなものを生み出してしまった。内部思想闘争という名のもとに、同志を精神的にも肉体的にも破壊してしまうような組織になってしまった。その問題はどこにあるのか。黒田さん死後の問題なのか、それ以前からの問題なのか。どう改められなければならないのか。どう組織は創り出されなければならないのか。加治川さんが書いたように、黒田さんと或る同志はどうして対立したのか、それを現在的にどうとらえ、現在の労働運動の再生にどう生かしていくべきなのか。探究派は、それを創り出さなければならない。それを、理論的に掴みださなければならないと思う。

私には今その力はない。理論的にも経験的にも人間資質においても。黒田寛一とともに生き、闘い、学んできた方々が、真摯に己と向き合いその課題に向き合ってほしい。私も今ある己において場所的現在に立ってその問題に立ち向かいたいと思う。

具体的問題に戻そう。この小文は、加治川さんの党員権停止を取り消すことを嘆願するものではない。加治川さんには生意気にも辛辣な批判をしたかも知れない。加治川さんの革命的再生を願ってのこととお許しいただきたい。全ての先輩諸同志に、旧来の組織・内部思想闘争のあり方を踏襲するのではなく、真にマルクス主義＝反スターリン主義に立脚したそれを、創り出すことを願って書いていると受けとめていただきたい。

創造されるべきは、マルクス主義＝反スターリン主義の再生であり、その組織であると思う。

二〇二〇年七月一六日

自己超克の欠如

磐城健

一　〈都合にあわせて七変化!?〉の巻

身のこなしの早い人であるAが奇妙な文章を書いた。彼は日頃、ＳＮＳ上でその時々の状況に応じて、医者に扮したり、学生を名乗ったり、農夫を演じたり、文章上であるが、「七変化」が出来ることを自負している。まぁ、それ自体は、とやかくいうべきことではなかろう。いつもそれで「苦心」しているのだ、という気持ちもうけとめよう。彼の〈七変化〉が、特定の場においてある実践主体の「規定性の転換と意識の二重化・三重化」に関する歪んだ理解と結びついていることを度外視すれば、とりあえず「ご苦労様」である。もちろん彼のような言葉の小細工で誰かが感化されるのだろうか、ということも今は問わないとして。

しかし、そのようなことを超える問題が露呈した。彼が新たに書いた短文では、他者である有名人＝辺見庸の文言の引用と、御本人の文言とが、判然とはしないかたちで混在しているように見えた。辺見に依拠して自説を展開しているような匂いがする。その短文を読み内容に深刻な疑問を感じたBが、Aにたいして「ここところは辺見ではなく、貴方自身の見解か」と訊ねたところ、Aは「そうです」と答える。そこでBは、AがA自身の考えを示したとする文言の誤りを理論的に指摘した。実に貴重で意味深い指摘だったといえる。するとAは、返答に窮し、「スカして書いたのが良くなかったかなぁ」と、曖昧ではあるが一応は反省的な弁を弄した。これが四月末のことである。

ところが、五月一日になって、このやりとりの場に同席していたCが、いっこうに反省の色がないAに対して「Bに指摘されたことについて、少しは反省してはどうか」、と勧めると、Aは「あの文は、私が苦心して辺見シンパに扮し、なりすまして問題を提起したものであって、私自身の見解ではない」「辺見は問題があり、私自身とは別だ」「あの文言が私の主体的見解であるかのようにみなして辺見と近親的だなどと批判するのは、見当違いでしょう」とのたまわった。驚いたCは、Bにも伝える。Bも「ここは自分の考えかどうか、予め、確認してから批判したのに…」と絶句。「オレと辺見とを一緒くたにするな」というAに対しては、他の人も含めて、議論の進め方として、ちょっと酷いだろう、ということで、このような議論の仕方および内容をめぐって一同は各々に怒り・悲しみ、彼に教育的思想闘争をくりひろげたことはいうまでもない。

ところがまたしても変化。六月一四日、Aは、「よく考えると辺見は面白い、おかしいところもあるがすばらしいところもある。自分も同じような見解をもつところを書いた。」「辺見の評価をやりなおすべきだ」と言い出し、あれほど己と辺見とを区別立てしていたにもかかわらず、今度は一転して、辺見を高く評価していることを表明した。「皆さんが辺見を研究していないのはおかしい」「これから辺見研究・合評論議をすべきだ」とまで言い出す始末。ここに至って、Aは自身が辺見にゾッコンであることを憶面もなく披瀝。（さらには、Bに対して〝芸術や芸術家の心を理解できない己を問うていないではないか〟などと嘯く（うそぶく）に至っては、なにをか言わんやである。自分が〝有利〟だと思えるフィールドやネタを探し、そこに論争の場や論点をかえるという彼の常套手段だと言ってしまえばそれまでだが。（われわれはもともと芸術談義をしていたのではない。それにしても、辺見の芸術を〝理解〟することがいかほどのことか。ましてや辺見に感化される己とはなんなのか。）

Cが、「扮しただけだ、と言っていたのはどうしたのか。あの時はああいったが、よく考えるとこうだった、という話が多すぎないか。」というと、Aは「よく考えるとこうだった。ああ、そうだったのか、と受けとめればいいじゃないか」という。こんな調子では、Aと議論する人々は、Aがその都度いうことを彼の意見として信じられるだろうか。

このような会話が、市井で行われる分には、別にどうということはなかろう。仮に一定の学会のような研究者の間で行われたらどうか。あの人の言うことをうっかり真に受けたら大変だ、Aのいうことは信用できないから注意しよう、ということになる。研究者Aは、不誠実な人として、信用を失うだけであって、その意味で社会的報いを受けることになる。それでもここまでは、俗世間の話。これが、ブルジョア社会の変革をめざす共産主義者たちの間での議論だったとしたら、どうか？

前衛党組織が「俗人天国」と化すことを断固として拒否し、前衛党をそれに相応しい質と力をもったものへと鍛え上げようとする者には何が問われるのか。

プラグマティズムはやはり「有効」？

仮に見解が変わったのであれば、「あー、本当はそうだったのか」では済ませられない。当然にも、「あの時はああ言い、今はこう言うでは、信用できないではないか」ということになる。「Aが以前の見解を変更するのであれば、過去の己の見解について、その時にはなぜそう述べたか、についての反省を提起すべきだ」、というのは当然のことであろう。いや、そもそも「あの時はああ言ったが、こういう理由でそれは違っていたと今は思う。本心とは違うことを言って皆さんを混乱させ、申し訳ない」程度の謝罪もまた必要ではなかろうか。これが己の発言、意見表明に責任をもつ、ということの出発点であることは言を俟たない。しかし、Aは恬として恥じず、進んで言いそうではある。――「もともとオレは、辺見には問題もあるが、面白いところ・すばらしいところもあると言ってきた。その点は変わっていないではないか。」と。

これは、己が問われたことを辺見の評価の問題にすり替える詐術である。

実際のAは、議論の進行のなかで「扮しただけ」ということでは、〝不利〟とみて、一転して開き直ったのであった。いやいや、彼は過去の文章には、己の尻尾が見え隠れしていることを突きつけられ、観念したというべきか、下手に反省の姿勢を見せるよりは、開き直った方が抗いやすい、と考えたのだろうか。いずれにせよ、彼は主張を翻すことによって、またさらに己の暗部をむきだしにしたのである。

じつは、Aはこのようなやり方をしばしば用いてきた。その時々の都合にあわせて何の反省もなく見解や論点を変えて、何の痛痒も感じないのである。失敗したときには、現実の単なる評価・解釈替え。相手の批判内容をとりこんだり、「いやー、ゴメンゴメン」「わかった、わかった」「わかりましたよ、ありがとうございました。」などの遁辞を挟んで、何の反省もなく見解を変えるのはヨリ狡猾というべき。「本当はそうだったのか、わかったわかったと受けとめればよいではないか」などと他者に、「オレ流」に従うことまで求めるとあっては、何をか言わんや。

いや、Aは時として論争を〈政治ゲーム〉のように感覚し、面白がっているかにさえ見えることがある。深刻な対立が発生しているにもかかわらず、彼にわかってもらいたいと一生懸命発言するDに向けて「口が尖っているゾ！」などとオチョクリを入れる。その時の彼の表情には笑みすら浮かぶ。実はおのれ自身が、(かつて彼が見下した官僚と同様に) 持ち前の〃肺活量〃に訴えて場の〃制圧〃をはかっているにもかかわらず。「Cは腐敗している」などと彼の批判者に告げる時も、口元には笑みを浮かべる。批判者を困らせ、押し返すよほどの〃妙案〃が浮かんできたのであろうか。ここまで、他者に対する己の責任を何も感じない、倫理感のカケラも感じられない政治主義的「共産主義者」などありうるのであろうか。

Aが共産主義者を自称するのであれば、まさに「共産主義者としてのモラルの欠如」というべきではなかろうか。これはまさに根源的な倫理的＝主体的な問題であろう。

その根底は、彼が内に残していたブルジョア的な個人主義が頭を擡げてしまったことにあると言わざるをえない。彼の過去の実践が他の同志からラディカルに批判されたその時、「彼は冷たい」「浮いている」などの逃げ口上を吐きつつ思想闘争を忌避し、逃げの姿勢に入るとともに、当の批判者を貶めることに躍起となった。彼は身にまとっていた共産主義者としての節度すら、もはや失い、それが単なる外的タガのようなものでしかなかったことを自己暴露した。残ったものは、過去的な彼そのものである。「オレはそんなことは認めていない」「意見が違うからしょうがないではないか」というような、彼がしばしば口にする言辞に、現在の彼が〝思想信条の自由、言論表現の自由〟といったブルジョア的理念をのこしたまま生きてきたこと、そして今まさにそれを盾としていることが、露出している。己の自己愛的行動・主張を原則的に正当化し、保身をはかろうとしたとき、彼はブルジョア的理念を盾にするほかなかったのである。ブルジョア社会での形成の過程において身につけたブルジョア的な規範をプロレタリアとしての階級的自覚を拠点として止揚することに彼が失敗してきたことを、このことは意味している。彼の主体性は、ブルジョア的な〈個〉を拠点として、決してこの〈個〉の何たるかを問うことなく、抑圧的〈体制〉に精神世界でのみ叛逆する辺見との根本的同一性があるのであって、プロレタリア的主体性、共産主的前衛組織に固有の思想闘争の論理とは無縁なのである。彼にとって「主体性」とは己に否定的に向かってくる「権威」には絶対屈しないぞ、とでもいうべきものとなってしまっている。己がいかに、がない。己を顧みないのである。反「権威」を標榜する没主体性――己の実践を顧みようとしない彼の実情はこのように形容するしかない。みすぼらしい己の現実は、彼の視界と実感の外なのである。これは共産主義者としての思想的死を意味する。革マル派現指導部の面々の反対派メンバーに対する反駁は、まさに〝ポジション・トーク〟だ、というCの意見に「そうだ！」と賛同していたAはもはやいない。

思想的に死んだ彼の行動原理は（思想としてのプラグマティズムを彼が学んだはずもないが）まさに〝ジコチュー的〟プラグマティズムであると、断じざるをえない。「スターリンの「スターリン主義」者への転落は、同志黒田寛一のいう「過渡的諸方策の原則化」をステップとした。スターリンが「アメリカ的事務能力」（プラグマティックな手腕）に憧れたことも、宜なるかな。しかし、Aの転落は、それをも超える（＝下回る）ものとなりつつある。」

今日のAは、①スターリン主義者の官僚主義的組織づくり、②現・自称前衛党（革マル派）の官僚主義的腐敗、③真の前衛をめざす組織における思想闘争の組織的推進――これらをすべてゴッチャにすることを通じて、組織内思想闘争をつうじての〈全と個の統一〉というプロレタリア的前衛党の理念そのものをも放棄してしまった。このことが組織内においてさえ平然と〈七変化〉を演じることができる最深の根拠をなすと言える。「オレは承認（承諾）していない」などという彼の口癖ともなった言辞が、そのドンヅマリを示している。〈転向〉者は常に、〈個〉に立て籠もって〈組織的〉なるものに叛逆してきたのであるが、彼もまたその転向者の轍を踏もうというのであろうか。〔なお、組織内思想闘争の革命的な推進ぬきに「私は組織、組織は私」などというアプリオーリな「同一性」を絶叫するところにまで転落したのが、昨二〇一九年一二月以降の革マル派現指導部であるが、彼らがシンボルとしてうちだした「組織哲学」なるものの裏返しが、変質したAの「オレ」哲学だともいえる。Aの「哲学の貧困」は目を覆うばかりであったが、悲しむべきことに彼は――われわれの「共学」の提案すらも足蹴にし、その克服の闘いを最後的に放棄した。〕

今、私はAの共産主義者としての主体性を問うているのであるが、Aはこのような問いかけをすら真摯に理論的＝思想的に吟味することさえなく、ただただ政治主義的に意味解釈するしかないほど落ちぶれているようだ。

永年「反スターリン主義者」を自称し、かつそのような者たらんとしてそれなりに努力してきた人物がこのような体たらくをしめした時、彼を知る人々はどう受けとめるのだろうか。決して曖昧にはできない問題である。すべての仲間は、このような彼と対決するおのれ自身を凝視すべきなのだ。

問われているのは、過去のおのれを超えて前進せんとするわれわれ自身なのである。

二 〈理論以前〉学

あんなに頑張り、闘ったのに…

会社側による不当な解雇に抗して解雇撤回要求闘争を闘いぬいた青年労働者E君。

解雇は、二度にわたった。最初は、労働組合に結集する従業員を狙い撃ちにした「整理解雇」を名目とする解雇、二度目は最初の解雇が不当とされた場合でも組合員たちをあくまでも社内から一掃することを真の目的とした「廃業」を名目とする解雇。労働法用語を使えば「究極の不当労働行為」である。

労働組合に結集する労働者たちは、労組指導部の指導のもとで、裁判所への解雇無効の提訴、労働委員会への不当労働行為救済申し立てを軸とする闘いを数年間にわたって闘ったのであったが、最終的には高等裁判所において、当初の「整理解雇」は有効、したがって「廃業」を名目とする解雇は、当否の検討の必要なし、という反動判決を下され、闘いは終焉のやむなきにいたった。当該の労働者たちの奮闘にもかかわらず闘いに勝利しえなかったのは、本質的には今日の労働運動の衰退のゆえであり、このことの突破こそが、闘った者すべてにつきつけられたのであった。まさに、そのために、教訓を導き出すことが問われたし、今も問われている。

「大岡越前」はいたか！

裁判での勝利を信じていたE君は、地方裁判所で「整理解雇は無効だが、廃業解雇は有効」という半分〃勝利〃の判決をえたときには、**「裁判所は大岡越前＝正義の味方だと思っていたのに…」**と呟いた。それでも彼は、組合・支部指導部の方針のもとで控訴審を闘い、高等裁判所の再三の和解勧告を拒否し、裁判官に「解雇不当」を徹底的に主張し、「判決をだしてください！」と訴えた。その結果が、右記の判決であった。そしてそれを覆す見通しはなくなった。今度は「地方裁判所の裁判官はダメでも、高裁にいけばもっとよい裁判官が出てくるのでは、と思っていた」と彼は述懐した。「結局は、裁判官も自己保身という自分の都合で動くのか…」と考えたという。

これは、既成労組指導部の労使協調路線にもとづく裁判依存主義がもたらした悲劇以外のなにものでもない。

ところが、当該労組の中に実存した既成の組合幹部に抗する自称革命的左翼の活動家たちを指導するある者は、組合幹部が裁判所や「第三者機関」と称されるものに依存して闘いをすすめることを批判すべきではない、という驚くべき指導を活動家たちに行い、裁判に「勝つ」ための諸活動を担わせ、それによって彼らを「強化」出来ると考えていたのである。みずからが裁判依存主義に転落していたのである。彼が既成幹部と異なる所以は、幹部たちが裁判の帰趨に危惧を感じて「和解」を意図するのにたいして、「正当性をガンガン主張して断固として職場復帰の判決をとる」ことを、勇ましく・強硬に主張したという点であった。さしづめ〝闘う裁判依存主義〟とでもいうべきであろうか。その顚末が高裁での完敗であり、右に示したE君の述懐である。

こんなこともあるんだぁ…

何という「革命的左翼」であろうか。この「革命的左翼」の実態を象徴的に示したのが、電話で高裁判決の一報を受け取ったときに、当時のこの組織の最高指導部の一員であり、名高い理論家であった某の「こんなこともあるんだぁ…」という茫然自失の言である。何という階級的警戒心の欠如！ なんという平和ボケ！ 昨今の労働裁判の実態からかけ離れているだけではなく、裁判所がブルジョア国家権力の一機関であり、ブルジョア階級の階級的利害を貫徹する一機構であることすら忘れ去っていた己に何の否定感もない妄言であった。史的唯物論に精通し、国家論も得意という理論家でありながら、〝「第三者機関依存主義」を批判すべきではない〟と主張した党幹部のある者に追随して「解雇無効の判決をとることで職場復帰をかちとる」闘いの指導に齷齪(あくせく)した結果、当たり前のことすら忘れていたのである！ ゆがんだ実践に身をやつし続けた結果、思想的にも「もぬけの殻」と化していたのが、彼である。彼は「こんなことも…」と呟いた時には、まだ〝素直〟であった。だが、その後はそう感じた己を正視することなく、指導部としての自己保身に、つまり沈黙による乗り切りとゴマカシに走ったのであった。

そもそも、今日の労働運動の否定的現実に条件付けられて、われわれ自身もまた積極的に裁判闘争にとりくまざるをえない場合が多いことは確かである。裁判闘争に取り組むこと自体が誤りなのではない。だが、既成労組指導部の裁判依存主義的傾向をたえず警戒し、その克服を促すような思想闘争を丁寧に繰り広げることぬきに裁判闘争にとりくむかぎり、裁判闘争に勝利しようとして頑張れば頑張るほどに、その担い手たちは裁判所に幻想をいだき、裁判の帰趨に希望を託す傾きは常にもたらされるのである。自称「革命的左翼」の理論家と称されるもの自身が、右のような茫然自失の言辞を吐くまでにいたったことは、この問題の深刻さを雄弁に物語っているではないか。

このような「革命的左翼」が、腐敗した現指導部に指導された革マル派が――その腐敗を根本的に反省しないかぎり――「労働者階級の前衛」を名乗る資格がないことはすでに明らかである。

ところが、問題はそこにとどまらない。その自称「革命的左翼」の、この闘いの指導に現れた腐敗を弾劾し、反スターリン主義運動の再興をはかって新たな闘いを開始したはずの仲間達のなかから、驚くべき問題が生み出されたのである。

痛みがない!?

「大岡越前」に期待していた青年労働者Eと親しく交流し、彼に大きな影響を与えてきたA、革マル派現指導部の腐敗に抗して反スターリン主義運動の再興を決意したはずの彼に対して、かの闘争における仲間達の思想闘争の限界を直観していたBが、問題を提起した。「Aは、E君が裁判依存主義に陥り、『大岡越前待望』に陥っていたことを、指導的にかかわってきた者として反省し、自己批判的総括を提起すべきではないか。」「A自身が、『革命的左翼』指導部の裁判闘争主義への陥没についての否定的自覚が足りなかったのではないか。その結果が、E君の『大岡越前待望』ではなかったのか」と指摘した。図星であり、経緯を細かく聞き、諸文書を入念に検討した結果の、実に丁寧な批判であった。Aとともに当該の闘争における指導部の指導を批判してきた他の者はBの意見を受けとめ、愕然としつつも、われわれ自身がその点について不明確だったこと反省し飛躍を期したのであったが、当のAは猛然と反発し、「そんなことができる状況ではなかったのだ!」「Bは浮き上がっている!」などと主張するに至った。

これは、二重・三重の意味で、単に「意見の相違」を示すといえることではない。奥深い問題、理論以前の問題がそこに潜んでいる。

少なくとも、己が永いあいだ交流し、ともに学習を繰り返し、多大な影響を与えてきたE君が、右のように裁判制度や裁判官に多大な幻想を抱いていたのである。そのことが判明した以上、反スターリン主義者としての自負と矜持があれば、己の他在としてのE君のこの姿に、現存支配秩序への否定的自覚の欠如した彼のこの主体的現実に、己の関わりそのものの否定性を直観し、心に痛みを感じるはずではないのか。また問題をこと新たにそれとして突きつけられた時には、痛みすら感じなかった過去の己に背筋の凍るような思いをいだかないのか。われわれは、遅ればせながら、驚愕した。これは単に理論的な問題であるわけではない。

Aが、E君がそのような思想状況に陥っていることに、反スターリン主義者として何の痛みも感じなかったし、感じなかったことについて今も否定感がないとすれば、それは理論以前のモラルの問題である。

根深く染みついた政治主義のゆえに、主体的なモラル感覚そのものが麻痺していると断じざるをえない。

（そういえば、つまり今にして思えば、分析上の問題であれ、組織化上の問題であれ、彼が己の過誤を主体的に振り返ったことはなかった。常に、対象についての己の解釈を変更して辻褄をあわせるようなことしか、彼はしてこなかった。己の諸発言について、また己にたいしてなされた他の仲間からの批判などをもすっかり忘れていることさえあった。これはプラグマティックな実践に身をやつしてきた結果としてのプロレタリア的なモラルそのものの欠損を意味する事態であると、われわれはいま考える。）

しかも、この己の態度を問われるや否や、「そんなこと（裁判依存主義の批判）が出来る状態ではなかったんだ！」などと開き直り、あまつさえあの手この手で批判を跳ね返そうとする政治主義的態度。その後にも「思想闘争」を装った権力闘争まがいの術策――あるいは「七変化」――と、われわれはもう嫌というほど付き合ってきた。ものごとには限度というものがある。また「仏の顔も……」という。しかし、

問題は　あなた！　そう、そこの君だよ！

右のような主体とは何ぞや。そこを問わないで何が始まるというのか。「思想闘争」などといっても単なる機能論に堕してしまう。いつまでたってもわからないとは、どういうことか！

他者のことを「理論主義」だ、「政治主義」だなどと批判する暇があったら、己の人間音痴ぶり・思想音痴ぶり・組織音痴ぶり・お人好しぶり、思想的人間的鈍磨ぶりを振り返った方がよいのではないか。昨年秋から最近に至る真摯な思想闘争の結果、Ａの暗部は場所的に暴かれたといえる。われわれが、過去にお

いてそのような思想闘争を実現しえなかったことは痛苦ではあるが、われわれ自身、この間の思想闘争の中で学び成長したのである。そして、その前進にとって不可欠であった諸情報、思想闘争の結果として明るみに出た諸事実・諸教訓についても、そこの「君」には充分に提起し対決を促してきた。君のマルクス主義者としての知性を信頼してのことである。しかしそれは「馬の耳に念仏」だったというわけか。おのれの「主体性」がいかに貧しく、いかに非プロレタア的であるかを、いまこそ君は考えるべきではないのか。自己超克の努力を積み重ねている者と、そうではなくただ自己正当化のためにハッタリや政治技術を弄ぶ者との分別もつかないとは、思想的鈍磨とは恐ろしいものである。

「思考エコノミー」こそ最大の怠け。わからないこと・都合の悪いことにはフタをして、自己主張のみ繰り返す。およそ自己超克の努力を、その苦闘を積み重ねてきたとは到底思えない、自己肯定的ふんぞりかえり。よくお考えいただきたい。下向分析ぬきに「構造」も「レベル」も成立しないのだよ。存在論主義・機能論的やり方論・結果解釈主義――これまでにもしばしば指摘されてきた己の弱点が、その歪みが今全面開花していることに気づくべきではないか。犯罪的行為をさらに積み重ねてから気づいて悔いても、それは遅いのだ。

志を棒に振るなかれ。欠けているのは、「不満分子」にとどまっていた過去の己を如何にのりこえるのか、ではないか。それぬきに「闘う」ことが出来ると考えるのは、ただの機能論ではないのか。自己に否定的に迫り来るものに屈せず〝対決〟することとそれ自体に〝主体性〟を見いだすのは、錯誤であり、プロレタリア的主体性とは無縁である。

自己超克の努力――それが欠如していることこそが問題であることを、つい先頃、仲間からつきだされ教えられたばかりではなかったか！　そのようなことまで忘れるほど、君は思想的に鈍磨しているのだ。一言で言えば、それこそが、政治主義者に容易く足を掬われていることの主体的根拠ではないのか。共産主義者としての生死に関わる根源的な問題を素通りすることなかれ。――顔を洗って出直せ！

二〇二〇年八月四日

「規定性の転換に伴う、$E_{2}u$への具体化」という展開について

山田吾郎

「規定性の転換に伴う、$E_{2}u$への具体化」という展開は、かつて楡闘争を闘っていたAとの論議で対立したことをめぐってAを批判した私の文章（二〇一六年一〇月五日）の中の展開である。「$E_{2}u$を執行部の方針にするために闘う」ことについてはAと私は意見が一致した。「$E_{2}u$を執行部の方針にできなかった場合」においては、Aは「(組合場面では)執行部方針に従い、裏でオルグする」、と言っていたことを批判した私の文章の中の展開である。私は、このAの発言を、労働組合運動論を適用して批判することを試みたのである。つまり、$E_{2}u$と無関係な、組合員としての規定性でのわれわれの活動とは何なのか？　$E_{2}u$にのっとってわれわれは組合活動を展開するのではないか？　われわれは労働組合運動を、組合組織を主体として左翼的に推進し、組合組織そのものの戦闘的強化を目指すのであるが、その実践を規定する理論は、われわれが解明した党としての闘争＝組織戦術（E_{2}）を組合という場に規定されて、組合員としての規定性において具体化した闘争＝組織方針（$E_{2}u$）であるのではないかと、私はAに対置したのである。

カテゴリーの実体化

しかし、指導的同志はこの私の文章を読んで、「『規定性』という概念が実体化されるきらいがある」と批判した。さらに「$E_{2}u$ という方針およびこれをめぐるイデオロギー闘争の解明と、われわれがこの方針にのっとってくりひろげる諸活動の解明とをアマルガムにするような展開になっている」、とも批判してくれた。

今日、私も読み返して、そうだな、と思う。後者の「$E_{2}u$ という方針およびこれをめぐるイデオロギー闘争の解明とこの方針にのっとってくりひろげる諸活動の解明とがアマルガムになっている」ということについては、ここでは、私はなお展開することができない。「規定性の転換に伴う、$E_{2}u$ への具体化」という、この展開には、主体＝実体がない。「規定性を転換」しE_{2}を「$E_{2}u$ へと具体化」するところの主体がいないのである。「規定性の転換」ということがE_{2}の「$E_{2}u$ への具体化」をひきおこさせる、と文章化しているのである。きわめて客体的で没主体的な頭の回し方が対象化されている、と痛感する。

実践の事物化

今日、主体的に頭を回して考えなおしてみると、さらに私は次のことも問題であることに気が付いた。われわれが労働組合運動を展開するその活動の場、すなわち自らが属する組合の「主客の場」に踏まえ、自らの規定性を労働組合員たるものへと転換する、という主体的な行為を客体的に捉え、事物化している。そして客体化してとらえた「規定性の転換」に付随したもう一つの事象であるかのように、「E_2 の E_{2u} への具体化」も事物化してとらえている。

組合活動する」ことから逸脱している、このゆえにこれを批判しなくては、という問題意識からすると「カテゴリーの実体化」という私の誤謬は、当時の私の問題意識、すなわち、Aは「E_{2u} にのっとって「実践を事物化」しているというほうがより近いように思う。なぜなら、私の主眼は「具体化された E_{2u}」をAに強調しようとして、「規定性を転換する」ことおよび「E_2 を E_{2u} へ具体化する」ことについて、〝どのように〟を欠落させているのだからである。われわれが規定性を主体的に転換し活動形態を転換すること、これにもとづいて運動＝組織方針の提起の形式が決定され、この形式によって提起する内容も具体的に緻密化する、ということを事象化してとらえ、前者が後者を伴っている、前者に付随して顕われる後者のごときに考えている。その象徴的表現が「伴う」である。

当時のAへの批判に立ちかえり、さらに私の限界を深める

私は、Aの「執行部方針に従い、裏でオルグする」というものに貫かれている考え方をもっと下向的に深めてゆかなければならない。彼は、「規定性を転換する」「E_{2u} へ具体化する」ことをどのように主体的に行っていたのか、と。

この場合、組織として一定の課題について党としての E_2（闘争＝組織戦術）を解明し、当該組合の場に

規定された組合員へと自らの規定性を転換し、場にふさわしいものとしてE₂u（組合の闘争＝組織方針）へと具体化する、ということを前提としている。私の問題意識は、さらにもっと突っ込んだ自らの組織実践に即したレベルのことなのである。「E₂uへの具体化」というそれ自身おかしな表現であるが、当時のA批判であらわした当時の私の問題意識に即して考えると、今日的には自らが組合運動場面において提起するE₂uの内容をさらにいかに工夫し緻密化するのか、という領域だと思う。

われわれが、組合員あるいは組合役員として活動する、このAの実践そのものを「いつ、どこで、どのような場」でいかなる判断に基づいて「執行部方針に従った」のか、それは「組合運動一般の場面なのか」「執行部活動の場面という特殊性」でのことなのか？　民同系組合員と戦闘的組合員との力関係の分析はどのようなものであったのか？　さらには「裏でオルグる」というときは、自らの規定性と活動形態はいかなるものであったのか、それとも全く考えていないのか、と。この時のAの問題意識、判断を分析しなければAが「(組合場面では) 執行部方針に従い、裏でオルグする」と定式化した考えをひっくり返すことはできないのである。

この闘争＝組織方針（E₂u）にのっとってわれわれは一組合員として、分会役員として、あるいは組合役員として、組合運動場面でイデオロギー闘争と職場活動を展開する。より具体的には、日常的な職場において、分会ミーティングなどにおいて、分会役員会議において、組合役員会議などにおいて、組合執行部の主催する様々な会議、学習・講演会やレクレーションなどにおいて、さらには、会社当局への追及行動などにおいて、民同系・革同系・労働貴族系組合員と戦闘的組合員との力関係の分析に踏まえ、さまざまな活動とイデオロギー闘争を行うのである。

これらのことを日々主体的に考え、職場活動とイデオロギー闘争を豊富化し緻密化してゆかねばならないのだと思う。このように私自身が頭が回らない、私の主体的根拠を指導的同志につきだされたのだと思う。

さらに、私は、今回展開することができなかった「戦術およびこれをめぐるイデオロギー闘争にかかわる問題と運動＝組織づくりの実体構造にかかわる問題とのアプローチの違いという問題」について、さらに反省を深めてゆこうと思う。

二〇二〇年七月二九日

マルクスの「となる」の論理をおのれのものとするために

桑名正雄

一　観念論的解釈

マルクスの「となる」の論理を考察しているものとしては、加治川三太郎「「となる」のマルクス的論理」（『はばたけ　わが革命的左翼　下巻』所収）がある。これは、しかし、今日的に検討するならば、残念なことにも、「となる」の論理の観念論的解釈に堕している、といわなければならない。

同志加治川におのれの思想的変革を促すためには、いや、何よりも彼と対決するわれわれ自身が、唯物論的で論理的な思考法を身につけるためには、この加治川論文への対決とマルクスの「となる」の論理の主体化が必要である、と私は痛感する。

それは次のことがあったからである。

ことの発端

『コロナ危機との闘い』の松代論文において、次のことが述べられている。――

加治川は、辺見庸の散文詩にシンパシーをいだき、或る投稿原稿で次のように書いた。

「この数百年、賃金労働と資本の関係がこの社会があることを支えていた。資本家は自分が生き延びるためにその関係を壊しはじめた。つづいてあらゆる人間のつながりの破壊の衝動が起こる。衝動は充満し決壊するかもしれない。〈自己責任〉をかたるものを濁流に流せ！　新しい社会をつくらなくてはわたしたちは生きられないのではないか。どういう社会をつくるか、意見を寄せ合って話すことからはじめよう。」

松代はこの加治川に対して次のように批判した。

「ここでは、「新しい社会」のみちびきだし方は、資本主義の自動崩壊論、賃金労働と資本の関係の資本家によるぶち壊し論になっているのである。ここにあるのは、〈自己責任〉をかたるものへの反抗、すなわち既成の秩序への・あるいは・新自由主義的イデオロギーへのアナーキーな反抗的心情だけである。

これは、労働者階級が階級的に団結して、資本制生産関係をその根底から転覆する、ということはまったく出てこないものとなっているのである。そういうことを理論的論理的にみちびきだすことができないものとなっているのである。

労働者階級の意識として論じられるべきものが人間の意識にあたるものとして一般化され、客観的事態につき動かされた衝動としてとりあつかわれているのである。

これでは、われわれがプロレタリア的主体性を確立し、これを、対象的現実を変革する自己につらぬく、ということ、われわれが自己をプロレタリア的主体として・共産主義的人間として変革し確立していく、ということは決して出てこないのである。これは黒田寛一のプロレタリア的主体性論の公然たる否定である。われわれが、われわれの組織建設と党建設論につらぬくべきプロレタリア的主体性論の破壊である。」（二三九～二四〇頁）

ここで松代が加治川を批判している問題は、わが探究派組織建設を、現革マル派の官僚主義的変質をのりこえて実現してゆくためにわれわれすべてがみずからに貫くべき思想的＝組織的核心問題である、と私はかんがえる。

俺流の「規定性の転換」

だが、加治川は、次のように反発した。

「まず、投稿主体「考える人」は、辺見にシンパシーをもつ「人」という設定です。私は、「辺見シンパの人」を装ったのです。私はいつも「七変化」しながらできるだけ読む人が興味をもってくれることを望んで書いているのです。批判された原稿も工夫して書いたものです。同志松代は上記のようなわたしの規定性の転換について、考えていなかったのではないかと思います」

加治川はこのように松代からうけた批判を拒絶し、今なお、真摯に反省しようとしないのである。松代はつぎのように批判している。

「われわれが「規定性の転換」というのは、辺見シンパの人物を装う、というようなこととはその根底から異なるものである。自分が何らかのものとして設定したものになる、ということとは、その根底から異なる論理である。それを「……設定です」などと言うのは、すなわち、その「設定」を「規定性の転換」と同一視するのは、後者を、頭のなかでのあれこれの設定をすることにゆがめるものであり、観念論への転落である。」

俺のハイマート

このように観念論への転落である、とまで批判されてもなお、加治川は自己に危機感をもたない、自己が「七変化」し、意識を「設定したもの」にふさわしく工夫することを「規定性の転換」と言っても、それを自己の思想的、哲学的な危機だと感じていないように、私には思えるのである。これはなぜなのか、と私は強く疑問に思った。そして彼が、まだ、まじめに自己研鑽をつもうとしていたはずの時期に書いた論文のその表題の内容に「オヤッ」と私は危惧をもったのである。その表題とは、「〔となる〕のマルクス的論理」である。彼が一九九三年に書いたものである。この表題としてあらわされているのは、マルクスが『資本論』で駆使している唯物論的論理である。現実場において、物質的諸物が、特定の物質的諸関係に投げ込まれることによって、その諸物がその諸関係の一契機としてふさわしいものとなる、すなわちそのような規定性をうけとる、という論理である。だが、私は、今日の加治川が、なにやら主観的には自信をもって「七変化」なるものを規定性の転換だ、と言いくるめる姿を見せつけられ、もしや、この理論論文の内実自身が今日の彼の主張を正当化する役割を果たしているのではないか、と危惧をもちはじめたのである。私はこのような悪い予感をもちながら、当該論文を検討した。危惧は的中してしまった。

「る」と「た」の恣意的解釈、その結末

加治川は当該論文の二五二頁で、「C　「る」と「た」」と題して、『資本論』の展開と『社会観の探求』の展開とを比較解釈している。そして、この論述が論文全体の核心をなしているのである。だが、この解釈がまったく解釈主義的で不毛な追求なのである。いや、彼はこのような解釈主義的なことをおこなうことによって、むしろ彼自身が、マルクスの明らかにした論理をまったく理解できないことを自己暴露しているのである。だから、「る」と「た」の解釈をしたのならばむしろ、このことを加治川は自己がマルクスを曲解していること、はっきり言えば、自己流哲学が観念論でしかない、ということを、否定的に自覚する契機たらしめるべきであった。

加治川は次のように言う

「C　「る」と「た」

以下では、『資本論』と『社会観の探求』（STと表記する）との文章表現上の比較検討をする。

（Ⅰ）「労働によって大地との直接的関連から引離されるにすぎぬ一切の物は、天然に存在する労

働対象である。」（『資本論』三三二頁）

（Ⅱ）「労働によって土地との直接的のつながりからきりはなされたにすぎないような一切のものは、天然資源であ」る。（『社会観の探求』七七頁）」

「労働対象がそれ自身すでにいわばそれ以前の労働によって、濾過されているならば、吾々はそれを原料と名づける」。つまりマルクスは労働対象がそれ以前の労働に濾過されているか否かによって「天然に存在する労働対象」と「原料」とを区別しているからである。ＳＴの筆者は「る」を「た」に改めた。この改訂は「一切の物（もの）」の性格をまるで異なるものにしている。（Ⅰ）の方は、労働によって濾過される以前のものであり、（Ⅱ）の方は濾過されたものである。マルクスは労働の洗礼をうけているか否かを基準として労働対象の性格を区別している。区別することを眼目としたマルクスの叙述を、ＳＴの著者は区別性を変更するために「た」に改めたのであろうか。「る」を「た」に変えざるをえなかったのはなぜか。」（傍円は引用者、以下同じ）

このように問題をたてている。ここまでを読めば、「る」と表現しているマルクスは「天然に存在する労働対象」を表現しているのであり、「た」に改めた黒田は「原料」を表現しているのだ、と加治川はとらえている、いうことになる。加治川が「この改訂は「一切の物（もの）」の性格をまるで異なるものにしている」と大仰に言っているが、その結論は、マルクスはその労働対象の性格を「天然に存在する労働対象」という性格として表現し、黒田は「原料」という性格を表現している、ということになる。

けれども、加治川はそのように結論を出すことをなぜかやらない。やらないでおいて、驚くべき観念論的解釈をはじめるわけである。いやむしろ、彼の観念論的な哲学を投射し、色読するがゆえに、ここで、先のようには結論を出さないでいるのだ、と言ったほうが良い。

付言しておくならば、加治川のここでのまとめは正確ではない。というのは、マルクスは「天然資源」という言葉は使っておらず、「天然に存在する労働対象」を問題にしているのである。すなわち、或る労働過程において労働対象となるものが、天然に存在するものなのか、それともそれ以前の労働によって濾過されたものなのか、ということを、マルクスは問題にしているのである。これにたいして、黒田は、「天然資源」という概念の規定をおこなっているのであり、天然資源と規定される物質的なものが、労働対象となっているのか、それともいまだ労働過程になげこまれていないのか、ということは問題にしていないのである。ここでは、これくらいのことをおさえておけばよい。加治川の、「となる」の論理の観念論的解釈をあばきだすためには、この問題にこれ以上踏みこむ必要はない。

理論領域とアプローチの無視、無自覚

加治川はどのように論をすすめているか。

「ところで、紙の上にペンを媒介手段として対象化＝表現される以前のもの、つまりマルクスの意識の場におけるO′としての「一切の物」は「労働によって大地との直接的関連から引離される」と意味づけされた「物」である。労働者の働きかけをうけることになっている物という意味をもたされた「物」である。マルクスの意識の場に於いて労働対象となる可能性を与えられた「物」といっていい。しかし、このときのマルクスの意識にあるO′としての「一切の物」が妥当するところの実在する物はなおソコ存

在する自然物にすぎない。なぜならO′としての「一切の物」は、意識の場において「天然に存在する労働対象」であると限定する概念作用をうけることによってはじめて、人間にとって生活諸手段となる実在的可能性をもつところの労働対象として、措定されるのだからである。」（一五三頁。傍点は原文、以下同じ）

加治川は、（Ⅰ）のマルクスの『資本論』の表現の「一切の物」（という概念が妥当するところの実在するもの）を「ソコ存在する自然物にすぎない」と言うのである。先に述べていた論脈からするならば（Ⅰ）の方は労働によって濾過される以前の物をさすのであるからして、また同時に、マルクスは、労働対象がそれ自身それ以前の労働によって、すでに濾過されている場合には、これを「原料」と名づける、と言っていることからするならば、「O′としての「一切の物」が妥当するところの実在する物」を、「原料」と規定される物質的なものではなく「天然に存在する労働対象」と規定される物質的なものである、と結論するべきであった。ところが、加治川は、そのように結論付けると、自分が述べたい自分流の解釈からして都合が悪いと思ったのであろうか、そのようには素直に結論づけないのである。これにとって替えて、彼は（Ⅰ）の表現があらわしている物質的基礎は「ソコ存在する自然物にすぎない」モノなのだ、と言うのである。

なぜ、マルクスに学ばないのか？

加治川は次のようにパラフレーズしている。

マルクスの『資本論』の展開は①労働対象がそれ以前の労働によって濾過されている場合、これを「原料」と規定する、②労働対象がそれ以前の労働によって濾過されていない場合、これを「天然に存在する労働対象」と規定する。

これは正しい。

けれども、それにつづいて、次のように加治川は論じ始めるのである。

(I)で表現されているところの「る」についての解釈である。加治川はまず、「る」ということからすると、マルクスの意識の場におけるO′としての「一切の物」はいまだ、実際に労働によって大地との直接的関連から引き離されておらず、「引き離される」と意味づけされた「物」なのだ。つまり労働者の働きかけをうけることになっているもの、という意味をもたされた「物」である。なぜ「意味をもたされた物」とことさらに言うのかと言えば、「マルクスの意識の場において労働対象となる可能性を与えられた「物」といっていい」けれども、これは「しかし、このときのマルクスの意識にあるO′としての「一切の物」が妥当するところの実在する物はなおソコ存在する自然物にすぎない」からだ、というわけである。

そして、次の加治川の結論が重要である。すなわち加治川は「なぜならO′としての「一切の物」は、意識の場において「天然に存在する労働対象」であると限定する概念作用をうけることによってはじめて、人間にとって生活諸手段となる実在的可能性をもつところの労働対象として、措定されるのだからだ」というわけである。つまり、マルクスが意識場において「労働によって大地との直接的関連から引き離される」と規定するだけでは、このようにマルクスが意識した段階では、いまだ、マルクスの認識対象である実在的なものは「ソコ存在する自然物」であり、「マルクスの意識場において労働対象となる可能性を与えられたものにすぎず」いまだ労働対象ではない、というわけである、ではこのたんなる「ソコ存在する自然物」はどのようにして労働対象となるのか、というと、マルクスの「意識の場において「天然に存在する労働対象」であると限定する概念作用をうけることによってはじめて、人間にとって生活諸手段となる実在的可能性をもつところの労働対象」となる、と言うのである。これはもはや、観念論である。

　マルクスの頭のなかの「一切のもの」は、概念作用によって、頭のなかの労働対象となる、というのだからである。すべては、頭のなかでの出来事なのだからである。いや、加治川が「労働対象として措定される」というばあいには、この「措定」が観念的措定であるのか、物質的措定であるのか、ということが、混然一体となっているのである。すなわち、労働対象となる、ということが、頭のなかでの出来事なのか、それとも現実の出来事なのか、ということが、加治川には、自分自身でも、わけのわからないものとなっているのである。

　もしも、この「措定」を観念的措定と理解するならば、加治川は、マルクスの「となる」の論理を意識場の論理として解釈しているのであり、論述する加治川は、最後の最後まで頭のなかのことがらの解釈から一歩も出なかった、ということになる。もしも、この「措定」を物質的措定と理解するならば、加治川は、意識場の対象面は、主観の概念作用によって、意識場から現実場に飛び出し、物質的なものとなる、と解釈していることになる。いずれにしても、加治川は観念論なのであり、ヘーゲル主義なのである。

コジツケ

観念論である、と批判すれば、それまでだが、加治川が主観的に考えていることを、解析しておくと、どうも次のように考えている、というか、コジツケているのである。自己流の観念作用論である。

「労働によって大地との直接的関連から引き離されるにすぎない一切の物」とマルクスのように表現すると、これはいまだこの「一切の物」は「労働によって大地との直接的関連から引き離される」と存在論的に想定されているにすぎず、いまだ「引き離されていない」のだから、これは「労働対象として措定」されていない。このようにマルクスの意識の場で存在論的に意味づけ（？）されたにすぎないソコ存在する自然物、現実の労働過程のうちにあるのではなく、「外にあってマルクスにより可能的労働対象として存在論的に規定されるようなたんなる自然物」（二五六頁）、これはマルクスの「意識の場において「天然に存在する労働対象である」と限定する概念作用をうけることによってはじめて実在的可能性をもつところの労働対象として措定される」のである、と加治川は言うのである。

これはまったく不可解な解釈なのであるが、加治川の主観においては、どうも前者は〝存在論的で形式的可能性としての労働対象の措定〟であり、後者が〝人間にとって生活諸手段となる実在的可能性をもつところの労働対象としての措定〟である、というような区別だてがなされているようである。もはや屋上屋を重ねる観念的解釈である。しかし、加治川は、意識場において、主観が、物質的対象を労働対象である、と規定する、この規定によってその物質的対象が「労働対象となる」と考えていることははっきりしている。これを、「となる」のマルクス的論理を観念論的に曲解したものである、と私は言うのである。

まじめに読んでいるのか？

加治川はこのような混乱したコジツケをする前に、『資本論』の次の叙述を読むべきであった。

「採取産業、すなわち採鉱・狩猟・漁撈など（農耕は、それが最初に処女地そのものを開墾する限りでのみ）のように自己の労働対象を天然に見いだす産業を除外すれば、すべての産業部門は、原料たる――すなわち労働によって濾過された労働対象たる、それ自身すでに労働生産物たる――対象を取扱う。」（青木書店版、三三五頁）

加治川は、（Ⅰ）で、マルクスがここでのべているような採取労働過程に投げ込まれてある自然物ということ、この物質的基礎をなす現実場を、そのようなものとして理解することができないのである。マルクスが「労働によって大地との直接的関連から引き離されるに過ぎない一切の物」と論じている対象をなす場とは、採取労働過程という物質的労働過程の場なのである。現実場にかんする存在論的論理、これを唯物論的に論じているのである。

労働過程論において、マルクスが、「となる」の論理として論じているのは、自然物などの実体的な物質的諸物は、労働過程という物質的過程に投げ込まれることによって、その諸実体となるのであり、労働対象や労働手段、そして労働力となる、という論理なのである。黒田は「もろもろの自然力、動物力、機械力などの個別的生産諸力、労働力などは、それ自体としてはすべて生産力の諸要素ではないとしても、これらが労働過程になげこまれるかぎりにおいて、すべて生産力の諸実体へ転化される」(『現代唯物論の探究』一六四頁、傍円は引用者)と論じている。このような論理の理論領域とアプローチは、労働すなわち実践を存在論として展開しそのようなものとしてアプローチしているものである。マルクスが『資本論』第五章で展開しているこのような労働過程論の理論の対象領域および理論的アプローチについて無視、ないしは無自覚なままに、加治川は自己流の観念論的な〝意識場の概念作用の存在論〟によって無手勝流の解釈をしているだけなのである。

冒頭に述べたように加治川は、松代から観念論への転落であると厳しく批判されたにもかかわらず、自己の意識の内で「辺見シンパの考える人」を設定し、そのように装うことを、「私の規定性の転換です」と考えており、堂々と反論したうえに、いまだに反省しようともしない。私の危惧は、加治川がかつて革マル派として私もともに闘っていた時からあった。「「となる」のマルクス的論理」という自分の論文は黒田さんに評価されたんだ、と彼が何か大切なものをふところであったためるかのように頂いていると私には見え、一抹の危惧を私は抱いてはいた。私は、彼にとっての精神のハイマートともいうべき、この論文の内実が、じつのところ、マルクスが『資本論』で駆使している唯物論的論理を自己流に曲解した代物ではないか、「となる」のマルクス的論理と加治川が考え文章化した内実は、いま加治川が言う「意識内で「考えるおじさん」という設定をし」、そのようなものとなるということと、理論的に同一性にあるのではないか、と危惧をいだいたわけである。それが的中してしまった。

加治川は松代の批判を鏡として自らを反省すべきなのである。松代は言っている。

「物質的な場において活動するわれわれは、この場から物質的に規定されるのであり、このことに規定されて・実践主体であるわれわれの規定性が転換するのである。意識的に活動する物質的主体であるわれわれは、場から規定されて在るおのれを自覚し、場において在り場によってうけとるおのれの規定性の一つを自覚的に選びとり、場の分析に立脚して、自己を二重化・三重化して活動するのである。」(『コロナ危機との闘い』二四六〜二四七頁)

ここで論じられている「規定性の転換」の論理、その理論領域は、『資本論』の「となる」の論理とはもちろん同一ではない。前者の運動＝組織論において主体がみずからの規定性を転換する、という場合の主体とは、わが組織(＝諸成員)であり、意識的に活動する物質的主体なのだからである。けれども、それは、マルクスが労働過程論において論じた実践の存在論のレベルにおいて明らかにされていること、この論理を基礎として解明されているのである。物質的諸物が労働過程の場になげこまれ、物質的諸関係をとりむすぶことによって、その場から物質的な規定性をうけとる、という論理が基礎となるのである。だからして、加治川が、さきに私が批判したように、自然物が労働過程において労働対象となる、という論理を、ただ、意識場において、「労働対象であると限定する概念作用をうけることによってはじめて」自然物が「労働対象として措定される」というものとして、つまり概念作用論として解釈し理論化しているのをみると、やはり今日、加治川が反省的立場にさえ立たない場合に、この論文の観念論的論述が、彼が自己を理論的に正当化している屁理屈として意義をもっている、と言わざるをえないのである。

変革的実践の立場にたとう

深刻なのは、その結果、加治川の自己流の行動理論は、〃現実場からの被限定を無視した自己意識による振る舞い理論〃でしかなくなってしまったことである。しかも、そういう質でしかない自己意識の変化のやり方論を「規定性の転換」であると思い込み、「労働組合論的解明」だ（これも、組織実践の解明というより、せいぜい自己の組合運動家としての行動の基準でしかない）と、考えてきたことにある。マルクスが『資本論』を、「となる」の唯物論的論理を駆使しつつ展開していることを、これを労働過程に即して加治川は解釈したのである。しかし、すでにみたように彼は、マルクスの意識場なるものを設定して・これを対象的に勝手に解釈し、意識の対象面を「労働対象となる」と規定する概念的作用によって自然物が労働対象となるのだ、という観念論的な解釈論を開陳した。いったい、なぜ、このような解釈をしてしまうのか。思いつきであるとか、自己流であるとか、と直接的な根拠を言うことはできる。しかし、今日の加治川の姿をみるならば、そういう直接的問題に切り縮めることはできないのではないか、と私は考える。いったい、マルクスは『資本論』の労働過程論において何をなんのためにあきらかにしたのであるか。これを加治川はどう考えようとしていたのか、という問題を私は問わないではいられないのである。

「となる」の論理に限ってみても、なぜマルクスは、自然的諸力や労働力が労働過程になげこまれることによって、その物質的諸関係をとりむすぶことによって、その諸契機となり労働対象、労働手段、そして労働力となる、と論じたのか。マルクスは労働過程を「人間生活の永遠的な自然条件」として本質的に規定した。つまりそれは、人間社会を根源的に成り立たせている物質的生産過程としての社会史的過程の根源的な基礎過程（『社会の弁証法』）なのである。こうした労働過程がしかし、生産関係が資本制生産関係という歴史的に規定された社会的諸関係となることによって、いかなるものとなるのか。労働過程は資本の労働過程となる。この直接的生産過程になげこまれることによって、労働力（労働者だ）は資本の定有となるのであり、可変資本となるのであって、それは、人間の顔をした資本の一契機へと疎外されるのである。この過程においては、労働力はただ、外的合目的性に規定されるのであり、資本によって規制され統制されつつ、価値を創造する限りにおいてのみ社会的意味をもつにすぎないまでに疎外されるのである。これが感性的には、ただ労働が苦痛として、精神を侵されるまで精神的・肉体的諸能力をそぎ取られる、というように現れているのである。これが、直接的な労働の感性的なありようなのである。こうしたことは、加治川がじっさいに身体的に自己に刻み込んできたのではないのか。

こうしてただ、この資本主義社会が、労働過程が資本の生産力として現象する社会であること、ここに実存する己＝賃労働者が、自己を労働力商品として自覚し、この賃金奴隷となるところの、その物質的諸関係、生産諸関係を変革し、生産手段を己が奪い取り、そうして共同体的所有にもとづく・共同体的生産を実現する、このようにおのれが労働者階級として階級的に自覚し階級闘争にたちあがる、そのようなプロレタリアのプロレタリアートとしての自覚の内容が対象化されたものとして『資本論』は意義をもつのである。そのようなものとしてうけとめて初めて、『資本論』を学ぶことになるのではないか。これが「現実的な学」としての『資本論』の真髄だ、と私はうけとめている。

ではいったい、そのような思弁と理論的体系化をマルクスがなしえたのはなぜか。労働過程を「となる」

の論理を駆使して思弁している、その裏面には、こうして労働過程が資本の現実形態として現存していることを否定＝変革することによって、「人間生活の永遠的な自然条件」すなわち人間社会を成り立たせている根源的基礎過程を、ゾレンとして実現する、この本質論的解明と、それを実現するのだ、というマルクスの立場と意志があるのであり、この立場と意志が彼をその内側からつき動かしているからなのである。何のための本質論なのか。そうしたマルクスの変革的立場によって、労働過程論も「となる」の論理も初めてその解明が可能となったのだ。このことへの直観や共感を加治川は何らもっていないのである。だから、マルクスの意識場なるものの驚くべき解釈をしていられるのだ。反スターリン主義者・マルクス主義者たらんとする者としては、破綻なのである。加治川がおよそ、そのようなことに思いをはせることもないままに、マルクスの「意識の場」なるものを設定し、これを対象的に結果解釈しているのである。これは、まったくもって、マルクスの論理の改ざんもはなはだしい。観念的解釈である、と批判してすむものではないのである。

ベニヤ製作の自己流解釈

加治川は、ベニヤ製造にたずさわっていた時に己の労働を解釈し何と言っていたか。「運転労働者である私にとって、機械に装填された丸太が労働対象となる。工場の資材置場に野ざらしにされたブツ切り丸太は私の労働対象ではない。」（二五五頁）などと解釈して平然としていた。ベニヤ製造労働過程に投げ込まれてあることによって、野ざらしの資材であろうと、個別的な工程にある段階製品であろうと、すべて労働対象となるのである。そしてあなたは労働力となる、いやあなただけではなく労働組織の担い手の仲間のすべてが労働力「となる」のである。これはあたりまえだろう。俺がさわっている、ただその工程にあるものが俺の労働対象となる、これがマルクスの論理だ、と言って何になる？　これはおのれのブルジョア・アトミズム的立場から『資本論』を解釈しているものでしかない。これは、己の私的節穴からマルクスの意識場を覗き見るような解釈でしかない。このような解釈におちいるのは、直接には加治川が『資本論』が本質論的抽象のレベルで展開されている、ということを理解できない、ということにもとづいている。しかし、つまるところ、自己の孤立的自己の質をのりこえてプロレタリア的な自覚を獲得しつつ、労働のただなかで対質する、こうした思索とはかけ離れた質の頭のまわし方を彼がしていることに、それはもとづくのである。いったい、加治川よ、なぜあなたは労働者として過酷な労働現場に身を置き、自己の変革をめざそうとしたのか？　何が自己の変革の課題であり、それをどう実現するために労働したのか。同志からの批判を鏡として自己をふりかえり自己脱皮するように努力したのか？　この論文を検討し、今の加治川のありようを見るかぎり、そのような努力をしたようには私には思えないのである。コロナ感染拡大と資本家による危機のりきりのために労働者が解雇されている、辺見がこの労働者をみて資本家を念頭に置きながら「ざまあ見やがれ、まだまだこれからだ」などとほざいている。この辺見に共感するおのれとは何か。それを批判されるや、辺見シンパのおじさんというのは私が装っただけであって、それは「私の規定性の転換であり、松代はそれを理解しなかったのではないですか」と言う。こういう主張をすることに駆使されている加治川の理論の源泉は何か。加治川論文のエセ理論は、今日、彼が「七変化している」というヘーゲル的なのりうつり疎外を「私の規定性の転換」である、というように正当化することを理論的に許したという意義をもつのである。加治川論文はすべてが誤りである。

空隙をかかえたままの主体

存在として賃金労働者となり働くだけでは、けっしてわれわれは反スターリン主義者となることはできないのである。加治川はベニヤ製作の労働者となり、一体なにを自己変革の課題としてみずからに課していたのか。己は反スターリン主義者たらんとするために、露呈したどのような限界を、いかに克服するべきであると、自己に課してきたのか。みずからが、なおブルジョア・アトミズム的で孤立的個という地金をも未変革なままでいることを何ら省察しないままに、マルクスを学習しても何の意味もないのである。いやむしろ害毒であったのである。労働しながら、「となる」の論理を解釈したものが、これまで私がのべてきたように、マルクスの実践的立場や唯物論的理論を何ら顧みることもなく、観念論へとおとしめるようなものであったのであり、これがおのれなのである。自己の限界を見つめ他の同志を鏡として己をふりかえる、まさしく同志という組織的関係をとりむすんでいる他者を鏡として、この組織的関係に規定されてあるみずからを反省するのである。加治川が、物質的な・同志という他者を鏡とすること、すなわち、同志に規定されている、いや組織的関係をとりむすんでいる、というこの物質的でかつ意識的で能動的な・おのれの規定性を無視し、ただ、自己の意識場において、俺は俺である、と主観が概念的な作用をしていればマルクス主義者となる、というのではないのである。加治川は、こうした自己流の観念的解釈を、「がんばった」と指導者から肯定されたというように錯覚したのではないか。自己変革を投げ捨て、自己に空隙をのこしたままに、没主体的に精神のハイマートを護持することは、金輪際やめるべきである。加治川は一からやりなおさなければならない。

二　梯子をはずされた！

探究派公式ブログに掲載したところのこの論文の一にあたる部分を読んだ読者より手紙がおくられてきた。そこでは次のように述べられていた。「加治川論文の追記を読みましたか。追記には『社会の弁証法』の英訳版が引用され、それによれば、加治川さんは黒田さんに梯子を外されています。しかし、加治川さんはそのことを自覚できないようです」と。

加治川論文を読んだ当初には私は気づかなかったが、あらためて読み返してみたところ、その追記には次のように書かれていた。「初版 *Dialectics of Society*（英語版『社会の弁証法』）一三一頁　§43の七行目～九行目「天然資源」の規定のところ。All those that labour merely separates from immediate connection with the land are called natural resources. この下線部分は現在完了形（has merely separated）にすべきであろう。」（加治川論文、二五九頁）。

たしかにこれは、読者の言うとおりである。引用されている英訳版『社会の弁証法』（ＤＳと記す）の叙述を和訳すればこうなる。「労働が大地との直接の関連から、たんにきりはなすにすぎないすべてのものは、天然資源とよばれる」と。つまり、労働が主語にされ、その労働が大地との直接の関連からたんにきりはなす（merely separates）、と英訳されているわけである。これにたいして、同志加治川は、「現在完了形 has merely separated にすべきであろう」、と訴えている。しかし、黒田がおこなった英訳は、現在形だから、時制でいえば今きりはなす、ということであり、主体の意志をあらわしている、ともいえる。だから、この英訳は、むしろ『資本論』の和訳にちかい。『資本論』の和訳は「労働によって大地との直接的関連から引離されるにすぎぬ一切の物は、天然に存在する労働対象である。」という訳文なのだからである。労働を主語にすれば、〝労働がひき離すにすぎない〟となるのだからである。これに反して、同志加治川は、「has separated」、つまり、〝労働によってきりはなされた〟という現在完了形に訳してくれ、と言っているのである。　彼は、過去の黒田さんの表記にしがみついているだけなのである。

黒田さんはＤＳを英訳するさいに、「た」を「る」に変えて英訳した、ともいえる。なぜなら、一般に、われわれが天然資源と規定するのは、いまだ大地からひき離されていない、採取労働過程になげこまれるところの資源をさしているのであるからだ。あるいは、マルクスが「天然に存在する労働対象」と言っているその趣旨をくむならば、いままさに人間が・労働手段として駆使する物質的なものをもってそれに働きかけるところの、だからいままさに人間のこの労働によって大地との直接的関連からひき離されようとしているところの、天然の物質的なものをさす、といえる。ようするに、マルクスは「労働によって大地との直接的関連から引離されるにすぎぬ一切ものは、天然に存在する労働対象である」と言っており、英語圏のひとびとに理解をうながすためには、マルクス的に表現するのがふさわしい、と黒田さんは考えたからであろう、と思う。そして、この『資本論』のマルクス的な規定が、もっとも論理的に正確である、と私は思う。つまり、天然に存在する諸物は、それが労働によって大地との直接の関連からひき離されるところの、この労働過程に投げこまれることによって、それらは労働対象となる、と論じているのだからである。このような論脈で、マルクスは「となる」の論理を駆使しているわけなのだからである。同志加治川の言うところの、意識場において主観によって客観を概念的に規定すれば労働対象となる、というような観念論的な解釈ではなく、現実場において諸物が他の諸物と物質的諸関係をとりむすぶことによってそれ独自の規定性をうけとる、という存在論的な論理が駆使されているわけなのだからである。これにならって、黒田さんもまた英訳のさいにその論述を整序した、ということだろう。だから、同志加治川がなすべきなのは、己がただただ『社会観の探求』の表記を絶対化し、しかもその表記をおこなった黒田さんの主旨とも無関係に、いやむしろ、ねじまげるような観念的な解釈をしていたのだ、と自己を否定的にみかえすことである。

三　黒田さんの一論述への疑問

天然資源という規定が妥当するところのものを〝可能的天然資源〟とよぶのか

『社会の弁証法』マド四三のアステリスク部分で黒田さんは次のように言っている。

「「天然資源」という規定と、このような規定をうけとるであろうところのものとは、常識では区別されてはいませんが、唯物論の立場からは区別されなければなりません。後者は前者として活用されるであろうところのものをさすのであり、天然資源という規定が妥当するところのものを〝可能的天然資源〟というようによぶこともできます。」（一三六頁、傍点は原文。――英訳版においてもこの論述はそのまま英訳されている。）

ここで黒田さんが論じようとしているのは、「天然資源」という規定とこのような規定をうけとるであろうところのものを、唯物論の立場にたって区別しなければならない、ということである。これは、「天然資源」という概念とその物質的基礎とを二重写しにしてはならない、ということである。前者の規定が妥当するところのものが、後者の物質的なものなのだ、ということである。これは、認識主体が後者を概念的に規定したものが前者である、という認識論的な把握の問題である。問題は、これにつづいて黒田さんが「天然資源という規定が妥当するところのものを〝可能的天然資源〟というようによぶこともできます」と言っていることにある。これは混乱している、と私は考える。

「天然資源という規定が妥当するところのもの」と論じるならば、それは天然資源という概念の物質的基礎そのものをさしているのである。すなわち、それは「天然資源」という規定をうけとるところの物質的なものそのものをさしている以外ではないわけである。いいかえるならば、天然資源という規定が妥当するところのものを、われわれは天然資源とよぶ、というように、私は考えるのである。ところが、黒田さんはこれを〝可能的天然資源〟という・「天然資源」という規定とは異なる概念でもって規定できる、と言っている。これは混乱している、と私は考えるのである。

或る物質的諸物（いまの場合は、天然の諸物）が現実的に天然資源となるのか、それとも、なお、潜在的＝可能的に天然資源となるものなのか、という問題は、つぎのような問題である。

或る物質的諸物が労働過程になげこまれる、ということを考えよう。或る物質的諸物は、労働過程になげこまれることによって、その一実体たる労働対象や労働手段、そして労働力（これは労働者である）となる。この問題は労働過程論として明らかにされる。

これと同様に、天然の諸物は、一定の諸関係になげこまれることによって、天然資源となる。このような諸関係にいまだおかれていない自然の諸物は、〝可能的天然資源〟と規定されうる。

この論理は、理論の対象領域と理論的アプローチにかんしていえば、現実場における物質的諸物の諸関係を存在論的に論じているものなのである（先の労働過程論は、労働＝実践を存在論的に論じているものである）。

このこととの関係においてとらえるならば、冒頭に黒田さんが、「天然資源」というカテゴリーとその物質的基礎とを区別するべきである、と述べていたのは、概念とそれが妥当するところの物質的基礎とを区別するべきである、ということであり、これは認識論的な問題なのである。

だから、そもそも、概念とその物質的基礎の問題と、物質的なものが一定の物質的諸関係のもとでそれ固有の規定をうけとるという問題とは、理論の対象領域とアプローチの仕方が異なるのである。このように異なるところのものを、いま見た論述では、黒田さんは交錯させてしまっているのである。この意味で、混乱している、と私は言ったわけである。この混乱は、『社会の弁証法』の瑕瑾と言うべきものである、と私は思う。

「であろう」の意味

「「天然資源」という規定と、このような規定をうけとるであろうところのものとは、常識では区別されてはいませんが、唯物論の立場からは区別されなければなりません。」この一文を分析する。

「〇〇という規定」と「規定をうけとるであろうところのもの」。つまり「或る規定」とこのような規定をうけとるであろうところの「もの」とを、唯物論的には区別するのだ、と黒田さんは言っている。これは、認識主体がおこなった概念的な「規定」と（規定されているところの）「もの」つまり物質的基礎とを、区別するべきだ、それらを同一視し・二重写しにしてはならない、ということを言っているものである。これは、彼が「という規定」と言っているように、規定という・認識主体が認識した結果から、認識主体がおこなっている認識することとそのものを反省しているものである。

黒田さんはここで「であろう」という表現を使っている。と同時に、彼はもう一つ「であろう」という表現を使っている。つまり①「規定をうけとるであろう」②「活用されるであろう」というように、である。①の「であろう」ということの意味するものは、すでにみたことからして明らかなように、次のことである。認識主体たるわれわれが・われわれの感性的対象を・なになにと規定する、という認識にかんして、その前提とその結果との関係を表現しているものである。これにたいして、②の「であろう」ということの意味するものは、或る物質的なものが、或る一定の諸関係をとりむすぶ、すなわち、或るかたちで「活用される」ことになる「であろう」ということがらである。これは、或る一定の場にあった物質的なものが別の場になげこまれるということ、すなわち、この物質的なものがおかれている場が転化するということ、この事態にかんして、それが生起する前と後の関係を、黒田さんは表現しているのである。このように「であろう」と表現することによって黒田さんはそのいずれを論じているのかを、つまり、認識論的関係の問題（概念とその物質的基礎との関係の問題）と物質的関係の問題（一定の場から別の場への現実的な転化によって、物質的なもののうけとる規定が変わるということ）とを、混同し移行させてしまったのではないか、と私は思う。

マルクスの「となる」の論理を主体化するためには、このようなことがらを反省し考察しほりさげなければならない。私はこのことを肝に銘じる。

二〇二〇年一〇月三日

Ⅲ　反スターリン主義運動を再創造しよう

革マル派の終焉――『黒田寛一著作集』刊行の意味するもの

椿原清孝

二〇二〇年九月九日の『黒田寛一著作集』第一巻刊行に際し、革マル派現指導部は、「解放」紙上に「黒田寛一著作集刊行にあたって」なる宣伝文を掲載した（九月五日付け、第二三六三号）。それは結果解釈主義に貫かれた驚くべきシロモノであった。だが、さらに驚くべきは、『著作集』第一巻に付された「プロレタリア解放のために全生涯を捧げた黒田寛一」（『著作集』第一巻、五〇六～五一〇頁）である〔この文章を「全生涯」と略す〕。前者がまだ、旧来の同志黒田の闘いの描写に少しばかり縛られたものとなっているのにたいし、後者は驚くべき脱線ぶりを示している。こんな〝大胆〟な文章は、党の最高指導部であるメンバーにしか書けまい。明らかに、前者は後者を下敷きにして書かれたものであり、その腐敗は後者の方がよりひどい。

「全生涯」なる毒々しい文章においては、明らかに同志黒田の神格化が図られている。その意図は、この文章の隅々にまで貫徹されているのである。

一　「世紀の巨人」!?――同志黒田の〝超人格〟化＝神格化

筆者は、同志黒田の偉大さを精一杯の形容でおしだしているのであるが、すべては同志黒田が超人格的な、奇跡的な存在であることを示そうとするものとなっている。筆者も、彼によって描かれた「黒田寛一」も、プロレタリア的主体性とは無縁なものとなっている。

冒頭のパラグラフは次のごとくである。

「黒田寛一は、一九五六年十月に勃発したハンガリー事件（「非スターリン化」を要求しソビエトを結成して蜂起したハンガリーの労働者人民を、「労働者の母国」と信じられてきたソ連の軍隊が虐殺した事件）にたいして、「共産主義者の生死にかかわる問題」として対決した。そして、全世界の共産主義者や左翼的知識人がこれを擁護しあるいは黙認するなかで、彼はただ一人、一九一七年に誕生した革命ロシアはレーニンの死後スターリンによってすでに反プロレタリア的な「スターリン主義国家」へと変質させられてしまっていることを看破し、ただちに反スターリン主義の革命的共産主義運動を興す歩みを開始した。黒田寛一こそは、時代のはるか先を行く偉大な先駆者であり、二〇世紀が生んだ「世紀の巨人」なのである。」（『著作集』第一巻、五〇六～五〇七頁）〔傍線は、椿原〕

一字一句、驚くべきものである！　以下、要点に絞って取り上げる。

1 「ただ一人」!!

「彼はただ一人……看破し、ただちに反スターリン主義の革命的共産主義運動を興す歩みを開始した」という。そして「時代のはるか先を行く偉大な先駆者であり、二〇世紀が生んだ「世紀の巨人」なのである」という。

だが、ここでは、ハンガリー事件と対決した同志黒田のその後の歩みを讃えているが、彼がいかにしてそのような前進をかちとりえたのか、その主体的根拠に関する考察はまったく欠如している。

同志黒田は、ハンガリー事件との対決において、おのれの共産主義者としての主体性を貫徹したのであった。彼はハンガリー人民の血の叫びをわがものとし、ソ連軍による弾圧を弾劾すると同時に、このおのれは、哲学上ではスターリンとその追随者たちを批判してきたけれども、政治経済学的にはスターリン主義の枠内にあったことを自覚し、このおのれの変革を決意し、思想的に格闘したのである。まさにこのゆえにハンガリー事件との対決は「共産主義者としての生死にかかわる問題」としてとらえられたのであった。「全生涯」の筆者は、同志黒田がハンガリー事件との対決を通じて、おのれ自身の断絶と飛躍をかちとった、という決定的な問題を不問に付しているのである。

ハンガリー事件と対決した黒田がそれ以降の苦闘を通じて後にえた現代ソ連邦の対象的分析や、革命的共産主義運動の創成という結果から一九五六年十月の黒田を説明する、という結果解釈主義丸出しの把握こそがまず決定的な問題なのである。

このような一九五六年の生きた黒田寛一の苦闘、その断絶と飛躍を主体的に追体験することを没却して、その後の諸成果をも出発点に封じ込め、ただただ「黒田はスゴイ！　黒田はスゴイ！」と叫んでいるのが、この文章の筆者なのである。だが問題はそれにつきない。

ここにいう「ただ一人」とはまず、同志黒田が、現代ソ連邦が「スターリン主義国家へと変質させられていることを看破した」ことを讃えるものとなっている。しかし、それは偽造の域に達している。現代ソ連邦それ自体の経済学的・国家＝革命論的分析は、ハンガリー事件との対決を通じて、過去からの断絶と飛躍をかちとった同志黒田が、その後における理論的学問的苦闘を通じて、つかみとったものなのである。そして、マルクスもレーニンもそうであったように、同志黒田もまた共産主義運動内部における理論闘争を通じて諸問題を解明したのであった。すなわち「ソ連＝赤色帝国主義」論・「堕落した労働者国家」説（したがって戦略的には「労働者国家無条件擁護」戦略）などの誤謬と歪みを克服する闘いを通じて、ソ連邦の政治経済構造についての、またソ連国家そのものについての理論的解明を進めたのである。

また他方で「全生涯」は、「ただ一人」という規定が妥当するようにわざわざ「反スターリン主義の革命的共産主義運動を興す歩みを開始した」と結果解釈している。仮に、「日本トロツキスト連盟」や「革命的共産主義者同盟」の結成そのものに言及すれば「ただ一人」とは言えなくなってしまうからである。

このように、「全生涯」の筆者がどうしても「ただ一人」と力説したい所以はまさに、同志黒田をあたかも〝人類のなかの例外者〟であるかのように、押し出したいからである。あたかも黒田寛一という特別な個人ゆえに様々なことが可能となったかのように描き出し、「黒田はスゴイ、スゴイ！」とふれまわっているのが、彼なのである。

〔なお、〝例外者〟というのは、かつてのブクロ官僚（小野田襄二であったと思う）が本多延嘉にあたえた賛辞である。もっとも今日の革マル派指導部は、当時のブクロ官僚どもの「はるか先を行っている」のであるが。〕

2　「世紀の巨人」!!

さらに、「世紀の巨人」・「時代のはるか先を行く偉大な先駆者」とは？

このようなキャッチフレーズを見て、唖然としない「マルクス主義者」などありえようか！

そもそも、「世紀の巨人」なる形容は、一九五三年にかのスターリンが死去した際に、世界の「社会主義国」や左翼陣営から、また報道界から投げ与えられた尊称であった。〔その時代にはスターリンの影響力は絶大であり、彼の死去によって国際情勢が不安定化するのではないかと恐れる心理から「スターリン暴落」といわれる事態すら発生したのであった。〕当時の黒田寛一は哲学的にはスターリンの理論的マヤカシを暴き出していたとはいえ、政治経済学的にはなお、スターリニズムの枠内にあった。その黒田が、「巨星ついに墜つ」などの報道にふまえつつ、揶揄的に用いた表現が「世紀の巨人スターリンの肉体上の死…」（『日本左翼思想の転回』一七七頁）であった。まさかそのような歴史的意味を忘れたわけではあるまいに！「世紀の巨人」という〝尊称〟を他ならぬ同志黒田に冠するとは！　筆者が同志黒田に対して〝不遜〟だというわけではない。彼は、組織成員たちをおのれと同様の個人崇拝に、すなわち宗教的自己疎外に誘導しているのである。その俗人化した頭脳でもって同志黒田を讃えようとすればするほどに、同志黒田を貶めるほかないのである。いや、それだけではない。

「時代のはるか先を行く偉大な先駆者」とは？——筆者の俗人化した頭脳の自己暴露、ここに極まれり！

思想的には〝サラバ、黒田〟と言っているようなものではないか！

3　神格化への飛躍

これらはすべて、同志黒田を超人格的な存在として描きあげ、神格化するという「全生涯」の筆者の意図からして必然となった物語であり屁理屈であると同時に、図らずも今日の筆者ら革マル派現指導部の思想的変質を赤裸々に自己暴露するものとなっているのである。

言葉そのものもまた右のような意図に相応しいものが選ばれていると言える。——「反スターリン主義の革命的共産主義運動を**興す**歩みを開始した」（五〇七頁）、「世界に類を見ない反スターリン主義の革命運動を**興した**」（五〇八頁）等々。このように用いられている「**興す**」という言葉は、国家の建国者や宗教の創始者の行為を表すためにしばしば用いられてきた用語なのである。反スターリン主義運動が存在する今日から、それを「興し」たものとして同志黒田の実践をすべて描き出すという念の入れようではある。また「黒田率いる…」とか「黒田議長率いる…」というように、反スターリン主義運動をもっぱら同志黒田という人格に率いられ、彼に依存したもの、として描きだし、組織成員たちを、同志黒田への没主体的な帰依へと誘導しているのである。反スターリン主義運動は同志黒田のおかげで今日あるのだということ、そして「世紀の巨人」に導かれた存在として、おのれを意識し、同志黒田を教祖としてあがめ奉るように、誘導しているのである。

　このような行いが、同志黒田の思想とは全く相容れないことには何の頓着もないほどにまで、彼らは変質し、また熱中しているのだ。

　かくして、同志黒田の神格化による革マル派組織の〈黒田教団〉への〝脱皮〟＝転態作業が、『黒田寛一著作集』を活用していままさにおこなわれている！

4　最後の「延命」策

　二〇一九年末の革マル派政治集会で突如打ち出され、しばらくはシャックリのように繰り返されていた「組織哲学」なるもの、これは明らかに現存革マル派組織を物神化し、その党への帰属意識を組織成員たちに植え付けるためにひねり出されたシンボルであった。『組織論序説』などに対象化された「組織論」では決して正当化しえない思想闘争の封殺や反対派の追放などの反組織的行為を積み重ねてきた革マル派現指導部がひねり出した苦肉の策が「組織哲学」なるもののねつ造であった。組織内思想闘争の推進という前衛党の生命線に関わる問題を没却して「組織は私、私は組織」などという形而上学的観念をすり込むためにこそ、このシンボルは活用されたのであった。しかし、その「組織哲学」も昨今は鳴りをひそめている。俗人化した官僚どもに支配された現存党組織をあがめ奉るのでは、さすがに胡散臭いというわけで、同志黒田を神格化し、組織諸成員は、彼に「率い」られ「導か」れる存在としておのれを意識し、ともにこの組織＝「黒田寛一の後継者」を守っていこう、というわけである。彼らはそれを〝同志黒田の魂の宿った場所〃として、或る革マル派中央労働者組織委員会メンバーの言葉を借りれば「生きかつ死ねる場所」として意識したい、というのであろう。だがそれはもはや「黒田寛一の後継者」ではない。「革命的マルクス主義の墓場」というしかない〃場所〃となりはてているのである。

同志黒田の薫陶を受け、自己研鑽に励んできた同志たちは、今こそこの腐敗し硬直化した組織の現実を打ち破るために起ち上がろう！　信じがたいほどまでに腐敗したこの組織的現実を直視し、官僚指導部を打倒し、のりこえる闘いに決起しよう！

二　〈脱・革マル主義〉の完成

同志黒田を「世界でただ一人」の「世紀の巨人」として神格化することによって同時に、彼らはおのれの思想的変質を自己暴露した。

1　「革命的マルクス主義の立場」の蒸発！

「ただ一人」を強調することによって、同時にこの筆者は、同志黒田の「二つの戦線上での闘い」をも、したがって、「革命的マルクス主義の立場」の確立に関わる諸問題をも、完全に忘却していることをも自己暴露したのであった。そもそも、この文章には、「革命的マルクス主義」という言葉自体が、ただ一度、「革マル派」という党の名称を説明する都合で引っ張り出されているのみであって、それとしては全く出てこない。また、第一巻に付されている「第一巻　刊行委員会註記」にも、ＫＫ書房の『著作集』宣伝チラシの「刊行にあたって」にも、「革命的マルクス主義」は言葉としてさえ出てこない。このことは、現在の官僚指導部の思想的腐敗ぶりからして必然なのである。そして、それにかわるものが「黒田思想」（五一〇頁）なのである。したがってこの言葉は、〈革命的マルクス主義の党〉から〈黒田教団〉への転換を示すシンボルとしての意味をもつものとなっている。

同志黒田は何というであろうか！

2　「反スターリン主義」の放棄

「彼はただ一人、一九一七年に誕生した革命ロシアはレーニンの死後スターリンによってすでに反プロレタリア的な「スターリン主義国家」へと変質させられてしまっているということを看破し、ただちに……」

すべてが、同志黒田の後の成果からの遡及的結果解釈であることについてはすでに見た。「スターリン主義国家」――このような規定をなしえた根拠、「堕落した労働者国家」論、「ソ連＝赤色帝国主義」論や

「屋根裏のネズミ」論（「労働者国家無条件擁護」論）との闘いを通じて打ち立てた黒田のスターリン主義論や〈反帝・反スタ〉世界革命戦略の確立の苦闘（『ソ連論の根本問題』その他に対象化されている）をすべて没却！

「反スターリン主義」が、あたかも同志黒田の頭蓋に天啓のごく閃いたかのような錯乱！　同志黒田を「世紀の巨人」「偉大な先駆者」として描きあげ、崇拝の対象として描きあげる、という彼らの没主体性の賜といわず何というか！

一九五六年の同志黒田の「断絶と飛躍」を主体的・追体験的に考察し、その思想を受け継ぎ発展させていく主体的な立場を喪失し、彼の闘いの結果解釈にうつつをぬかしている以上、「反スターリン主義」の主体的継承などできるわけがない。

実際、今日の彼らは「反スターリン主義」を単に現実世界に存在する外的対象の観点からしか理解することができないことを既に臆面もなくさらけだしてきたではないか！「中国ネオ・スターリン主義」に関する彼らのゴマカシと隠蔽を想起せよ！

3　「場所の哲学」の破壊

「黒田寛一こそは、時代のはるか先を行く偉大な先駆者であり、……」

黒田がこの文言を聞いたら、なんと言うであろうか。〃超進歩的哲学者〃に仕立て上げられているからである。

そもそも同志黒田は、「場所」に深く内在し、「場所」を超克せんとして思索し、実践した。「時代のはるか先を行く」というような賛美の仕方には、同志黒田の哲学の深みと革命性を歴史的先行性（〃歴史のさきどり〃）の観点からしか説明し自慢できなくなっていること、すなわち彼らが通俗的な歴史主義的＝進歩主義的発想に凝り固まっていることを自己暴露するものでなくて、何であろうか。この意味では、「反スタ」どころか、彼らはスターリン主義に〃先祖返り〃を遂げているのである。すこし前には〃主客の弁証法が黒田思想のキモである〃などと述べた御仁は、「時代のはるか先を行く偉大な先駆者」というような文言を見て、何を思うのだろうか。

自らの歪んだ物差しで同志黒田の偉大さを示そうとすればするほど、彼らは同志黒田の教えを歪めるほかない。彼らが「黒田思想」を称揚すればするほどに、同志黒田の苦闘を足蹴にし、そのガイストを捻じ曲げるほかないのである。

4 主体性を失い創造性を喪失した「信徒集団」への転落

同志黒田の思想と実践を、その営為そのものを受けつぐ努力をしてこなかった彼らは、同志黒田の存命中には、彼に権威主義的に追随しぶら下がってきたのであったが、同志黒田の逝去後には、その遺稿と後光にたよってしか、党指導部としてのおのれを維持し生きてゆくことが出来ない存在に必然的になりさがった。それは、自己変革のための、真の苦闘を彼らが放擲してきたからなのである。彼らはこのことをよく知っているというべきか。知っているからこそ、彼らは同志黒田を神格化し、その後光にたよって生きる道を選び、仲間たちをその〝運命共同体〟に引き入れようとしているのである。それは「ノアの方舟」ですらなく、ただの泥船である！

今日の彼らは同志黒田の「プロレタリア的主体性」とは無縁であるだけではない。おのれの革命的マルクス主義者としての主体性を真に貫徹し、不撓不屈の精神で創造的な営みを続けようとする者をこそ、彼らは疎んじ、憎んでいるのである。そのような同志を排撃するためなら、何でもあり、である！

現指導部のもとでの党総体としての創造性の枯渇・思想的生命力の喪失は、同志黒田の逝去後には、二〇一一年の『ノーモア・フクシマ』を最後として、同志黒田の遺稿によらない著作は一冊も出されていないことに、また『新世紀』や「解放」にも、理論的な論文はまったく掲載されなくなっていることに、赤裸々に示されている。実体的には、かつて革マル派を理論的に牽引していた錚々(そうそう)たる理論家たちのすべてが筆を折っているとしか考えられないのである。彼らはまったく主体性を喪失しているか、または健筆をふるうことが出来ない場所に封じ込められているのであろうか。

革マル派指導部による革命的マルクス主義の立場の喪失、「反スターリン主義」の放棄、哲学的客観主義への転落と結果解釈主義の満開、組織内思想闘争を封殺し「分派」を禁じる官僚主義的組織としての固定化、これらのあげくのはてが〈黒田教団〉への転態であり、革マル派の終焉である。――われわれは、このような変質を打ち破ることができなかったわれわれ自身の弱さを噛みしめるとともに、反スターリン主義運動を再創造する決意を新たにしている。

決起すべきは今をおいてないことを、われわれはすべての革マル主義者たらんとする同志たちに訴える。今からでも遅くはない！　逆転のための橋頭堡は、すでに構築されているのだ！　必要なのは、勇気である。


マルクスが引き、同志黒田が引いたジョルジュ・サンドの言葉を想起する。

「戦いか、しからずんば死。血なまぐさい闘争か、しからずんば無。このように問題は厳として提起されている。」（こぶし書房『プロレタリア的人間の論理』一七二頁）

◇『黒田寛一著作集』（全四十巻）の刊行じたいについて

革マル派現指導部の面々は、一巻につき、税込で六〇〇〇円を超える高額な書物を、労働者が（ことに非正規雇用の労働者や、低賃金が一般的な産別・業種の労働者が）購入することがどれほど大変なことかを考えたことがあるのだろうか。いや、そのようなことに思いを馳せるだけの志をもはや彼らはもっていないのであろう。

そもそも現指導部は、労働者たちから拠出された多額の資金で革マル派の諸施設を建設するなど、外面的な充実を計ってきたのである。これはまさに党組織の空洞化を糊塗するものであった。それは、団塊の世代を中軸とする多くの労働者（今日と比較すれば、比較的良い労働条件で彼らは働くことが出来てきた）が退職金を入手したり、親から遺産を相続したりしていることを条件としてであった。〝必要な時には、いつでも返すから〟と称して、通帳のようなものまで用意して労働者から資金を吸い上げる、という事実上の詐欺的手法をも含めて彼らは多額の資金を手にしたのであった。しかし、それが一巡した後の、そして組織の実体的主柱をなしていた「団塊の世代」がほぼ現役を退いた後の資金集めの方策としても、彼らは『著作集』の刊行を準備したのであった。とはいえ、この高価な本は社会的にそうそう売れるわけではない。そんなことは最初から分かっていることであって、むしろ、労働者組織成員たちから、通常の拠出金とは別に資金を吸い上げる方策としても位置づけられているのである。『著作集』と言っても、既に刊行されている同志黒田の諸著作の再刊もしくは再々刊であって、労働者たちはすべて過去に購入しているものがほとんどである。その量は、置き場に困るほどである。それでも「同志黒田の……」と言われれば買わないわけにはいかないだろうというわけである。

もう一つは、旧来同志黒田の著作を多く刊行してきた「こぶし書房」や「現代思潮新社」ではなく、革マル派現指導部が直轄し、ヨリ強く統制することが可能な「ＫＫ書房」（旧「あかね図書販売」）のもとに、同志黒田の諸著作を集約するということである。このことは、彼らが〝黒田教総本山〟として自らを押し出すためには〝教典〟の一手販売が必須であると観念していることをも意味する。

だが、マルクスやレーニン、トロツキーの諸著作と同様に、同志黒田の諸著作もまた、本来、日本の、そして世界のプロレタリアートの共有財産である。

革マル派現指導部によるその私物化をわれわれは許さない。

痛苦にも、現指導部に率いられた革マル派は、終焉した。

「虎は死んで皮を残す。革マル派は死んで『黒田寛一著作集』を残す。」のか……

わが探究派は、なお微力ではあるが、革マル派現指導部をのりこえる革命的な分派闘争を、そして真摯な組織内思想闘争を通じて、飛躍の拠点を打ち固めてきた。それは『コロナ危機との闘い』(プラズマ出版)にも対象化されている。

われわれは、同志黒田の思想と営為そのものを継承して、現に今、革命的マルクス主義の立場に立脚して、創造的な闘いを推し進め、日々新たに思想的生産物を発信し続けているのである。

すべての反スターリン主義者は、探究派とともに闘おう！

革マル派現指導部の屍を踏み越え、日本反スターリン主義運動を再創造しよう！

二〇二〇年九月一九日

「ヒラリー、ざまぁみろ！」とは?!
「トランプの勝利」は「人民の叛逆」なのか?!

佐久間置太

〔二〇一六年末の革共同革マル派政治集会で提起された基調報告は、アメリカ大統領選挙における「トランプの勝利」を、「アメリカ帝国主義の断末魔」を意味する、と評論するというように、客観主義丸出しのものであった。われわれ＝反対派は、このような党指導部を徹底的にラディカルに批判した。本論文はその一つであり、われわれがおしすすめた革マル派組織内思想闘争の一表現をなす。〕

何が問題なのか？

二〇一七年四月二一日の論議は激論となり紛糾した。結局、私と同志加治川は「二一」で述べる三点についての反省を求められたと受けとめている。

〔四月二一日の「個別論議」と称される会議の出席者は、呼び出しを受けた佐久間・加治川に加え、党指導部の側からは川韮・錠田・奥島・鷺谷が出席した。〕

しかしながら、それらの諸点について問い返す前に、提起すべきことがある。結論的に言えば、対立は、言われているような私や同志加治川の、基調報告の聞き方や論文の読み方の歪み、組織成員としての姿勢等に直接根ざしているわけではないと考える。私と、私と対立している党指導部の方々とのあいだには、改めて現実的な対立（「二」で述べる）が露呈したが、その場で確認され掘りさげられることはなかった。いや、果たして指導部の方々はどれほど留意したのだろうか。私の思うところが指導部の方々に充分伝わらないままに批判を受けていると私は感じている。そのことには私にも責任がある。最初から論議の場のただならぬ気配を感じ、脳に力が入って、しなやかさに欠ける対応をしてしまったことは否みがたく、この意味で、論議が紛糾したことの責任の半ばは私と同志加治川にあると考える。とはいえ、ことの本質はそう簡単ではない。

四月二一日に露呈した新たな争点は、二〇一六年末の政治集会の基調報告、二〇一七年新年号の巻頭論文〔『新世紀』二八七号に再録〕、中央労働者組織委員会論文の受けとめ・評価をめぐる対立と同根であり、その延長線上にあると考える。したがって、問題解決の捷径は、むしろ前回の論議において露呈した現実的対立にたち返り、改めて対立点を簡明にすることにあると私は考える。

以下

一　前回の論議において浮かび上がった現実的な対立点について

二　前回の論議において受けた批判について
三　党組織の現状についての私の懸念
という順序で意見を述べる。

一　前回の論議において浮かびあがった現実的な対立点について

1　「ヒラリー、ざまぁみろ！」について

同志川韮は、トランプが「勝利」したとき、「ヒラリー、ざまぁみろ！」と思ったと平然といってのけた。私が「エーッ」と驚きを表明したところ、同志川韮は「どうしておかしいの？」という調子であった。いまさらそんな発言が飛び出すとは。私はこの点に深刻さを感じた。

そもそも、その場合の「ヒラリー」とは？　いわば「(アメリカの)エスタブリッシュメントの代表・シンボル」としてのヒラリーか、あるいは、「エスタブリッシュメント」に属するエリート政治家であるが、同時に「ガラスの天井」をうち破ろうとした野心家としてのヒラリー女史か？　「ヒラリー」の意識のしかたによって「ざまぁみろ」の意味も違ってくる。前者であれば、同志・川韮の感覚は（「トランプ勝利」を）「人民の叛逆によってエスタブリッシュメントが脅かされている」という事態であるかのようにとらえ

た中央労働者組織委員会論文の筆者と大差がないのではないのか。また後者であれば、「トランプ勝利」という現実（しかも、その多くはＡＦＬ・ＣＩＯ傘下の労働組合に属する「プア・ホワイト」といわれる労働者層の投票行動が決定打となったと思われる事態）に、深い怒りと悲しみと悔しさを抱きつつ、新たな闘いへの決意にみなぎっているはずの反スターリン主義者が、まさか「溜飲が下がった」などというほどではないだろうけれども、ヒラリーごときの浮沈に心を動かされ、内に「ざまぁみろ」などという感覚が湧くというのは一体どういうことか？　仮に、ヒラリーが労働者階級をたぶらかし支持をとりつけようとして失敗し敗北したということに意味を見いだすとしても、ヒラリーを拒否した多くの労働者がトランプを支持してしまったのである。この他面と切り離して「ざまぁみろ」とは一体どういうことか。あまりにも軽い。同志川韮の足は本当に地についているのか。アメリカ労働者階級の痛々しい実情に想いをいたすならば、はたしてそんな感覚が湧いてくるものか？　同志川韮は己の感覚をふりかえるべきではないのか。また他の指導部の方々は同志川韮の発言を聞いてどのように感じたのか？　何も感じなかったのか？　それともそもそも似たようなことを感じていたのか？　主体的な受けとめを表明していただきたい。

私は、中央労働者組織委員会論文が出てしまった、かつそれを巡ってそれなりの論議を重ねてきたはずの現時点でなお同志川韮のような感覚が問い返されてもいないし、止揚されてもいないことに改めて驚きを禁じえない。じっくり組織的に検証してみるべきではないか。

2　茅ヶ崎論文の「職の奪い合い」について

四月二一日にも述べたとおり、新年号の茅ヶ崎論文では、「トランプ勝利」の裏側の階級的諸動向について具体的に分析されている、と感じていたので、初めて「解放」を吟味する若い仲間との勉強会で使わせてもらった。ところが、残念なことに「ヨーロッパでも、イギリスやフランスの労働者たちが政府の緊縮財政政策をおしつけられ、移民との職の奪い合いを強制されている。」という文章のところで、私はギョッとし、立ち止まらざるをえなかった。その直前の「しかも、こうした働く者どうしが競争を強いられ、国籍・人種・宗教・文化の違いによって反目し憎悪しあうという事態がくりかえされている。」という文章じたいは、私は間違っていないと考える。政府の政策にも媒介された資本家のビヘイビアに規定されて労働者同士が「安売り」競争に追い込まれている、というのは現実の描写として正当であろう。（マルクスも言った。〝労働者どうしの競争が団結を妨げる〟と。『共産党宣言』）けれども「職の奪い合い」がたとえ――「強制されている」という限定つきでではあれ――あたかも現実であるかのように述べられていることとは、問題であると考える。これは大雑把な結果解釈の産物であり、頗るイメージ的である。こんなことでいいのか。

私は〝言葉狩り〟をやっているわけではない。私が、こだわらざるをえないのは、国際プロレタリアートの闘いの現在の危機をうち破るというわれわれの喫緊の課題と深くかかわる問題であるからだ。考えても見よ、「アメリカ・ファースト」を叫ぶトランプが、いわゆるラスト・ベルトの労働者たちをたぶらかし手籠めにした詐欺的フレーズ――〝移民や外国（人）によってアメリカ人の仕事ｊｏｂが奪われている〟――の虚偽性を暴き出し、アメリカ労働者階級の惨状を内側から突破するイデオロギー闘争を推進しようという実践的立場に立てば、「職の奪い合い」を現実とみなすかのような叙述は出来ない筈である、と私は考える。重ねて言う。〝労働者同士の職の奪い合い〟は現実ではなく、虚構である。アメリカの労働者からｊｏｂを奪い、あるいは低賃金で働かせているのは、資本でありトランプその人をはじめとするブルジョアジーであって移民等々ではない。このことを隠蔽するために好都合だからこそ、トランプは、雇用関係が明瞭に出るemployment（employer⇔employee）ではなく、ｊｏｂという用語を用いているのだ。（ちなみに、かつてのトランプの決めゼリフは、Fire!〔クビだ！〕であった。）そのような虚偽の意識を労働者がもたされていること自体が、現代の労働者階級の悲惨を示してもいる。（類推すれば、日本の既成労働運動指導部が提起した「正規・非正規の格差是正」の要求を逆手にとって、資本のデマゴーグ・八代尚宏が「労・労対立」だとしたことも記憶に新しいところではないか。そのような主張の虚偽性を暴き出すこともわれわれにとって死活的に重要な任務であったし、今もなおそうである。）

この件についての私の意見は四月二一日の論議の場で了承されたかどうかは定かでない。というのも、党指導部の面々は、おのれ自身の主体的な受けとめを示さず沈黙したからである。卑怯千万。少なくとも反論が一切なかったことは事実である。だがそれで済む問題ではない。四月二一日の論議の経緯からすると、茅ヶ崎論文が新年号に掲載され、また『新世紀』二八七号に再録されて以降、四月二一日に至るまでの四か月余ものあいだ、批判的な意見は――中央労働者組織委員会サイドからも、編集局サイドからも――出なかったのであろう。それはなぜなのか、ふりかえる意義がある問題だ、と私は考える。

なぜならば、それは根本的には右に述べた共産主義者としてのわれわれの「実践的立場」にかかわる問題だと考えるからである。

今日、世界各地でトランプやその類いによって、排外主義的な国民統合が図られ、労働者階級はその波に飲み込まれようとしている。その現実を突破し労働者階級の階級的組織化を推進するうえで、「職の奪い合い」の虚偽性を暴き出すことは、一つではあるが極めて重要なイデオロギー闘争上の環をなす、と私は考える。

茅ヶ崎論文の筆者が「こうしたファシスト的言辞の虚偽性と階級性を、われわれは断固として暴き出し粉砕するのでなければならない。」（『新世紀』二八七号、五八頁）と力説していることは承知している。しかし、このような問題意識にたてば、（在来の労働者と移民労働者との）「職の奪い合い」が恰も現実であるかのように記述することは出来ない筈ではないか。どうしたことか。

これは理論的に難解な問題ではないはずだ。欧米の労働者階級の現実に想いを馳せ、その苦悩を共有し、ともに前進しようとする姿勢・感覚にかかわる問題なのである。（これは彼の地に渡って、彼らに現実的に働きかけ・ともに闘う、ということとはもちろん異なる。とはいえ、英語版等で彼らに「排外主義の大洪水に抗して連帯して闘おう！」というメッセージはぜひ発して欲しい。そういうことを主体的に考えれば、また「職の奪い合い」についても必然的に考察せざるをえないはずだ。）欧米の労働者たちの陥っている現実を対象的に捉えるのみならず、その超克を主体的に考察する、ということに関わる。そのような考察に裏打ちされてこそ、「（全世界のプロレタリアート人民は）わが革マル派とともに闘うのでなければならない。」（例えば『新世界』二八七号、二〇頁）という〝号令〟も生きてくるのではないのか。（なお、「（世界人民は）わが革マル派とともにたたかうのでなければならない」というような「上から目線」丸出しの文言は過去には使われていなかったように思うが、どうだろうか。最近ではわが党が人民を「領導（する）」という表現を見かけ、「アレッ」と思ったこともある――これは党のビラだったと思うが記憶は定かでない。）

このように、私が問題にしているのは、政治集会の基調報告や機関紙誌に掲載されている諸論文の叙述内容、さらに叙述に貫かれている方法などにとどまらない。そこに滲み出た筆者（話者）の実践的立場・姿勢や感覚を問題にしているのである。

考えても見よ。今になって中央労働者組織委員会名の論文がとんでもないものだ、と問題になってはいるが、そもそもはその論文は「解放」に堂々と掲載されたのである。原稿検討の段階で疑問が出たそうだが、印刷にはストップがかけられなかった、との弁明もあった。まがいものが党機関の点検をすりぬけたのである。これは疑問を呈したもの自身の否定感・危機感の度合いが然るべき程度であったからであろう、というほかない。しかし今からでも遅くはない。その論文の驚くべき否定性が事後的にでも組織的に確認されたのであれば、その欠陥を理論的に掘りさげるにとどまらず、この間の組織的な論議・その対象的表現としての政治集会報告等について、まさに場所的に、すなわち過去を超える問題意識のもとにふりかえることが必要ではないのか。予め政治集会報告は立派なのにその受けとめが悪いから中央労働者組織委員会名の論文のようなものが出たのだ、という枠をハメて論議し、実質的には問題を論文の筆者に固有な「野良犬的感覚」に帰着させるのはどうしたことか。「トランプ勝利」から一か月も二か月も経てから、中央労働者組織委員会名の論文のようなものが出てきたのは、どのような思想上・組織上の限界（可能的根拠）

にもとづくのか、という反省的アプローチそのものが蒸発してはいないか。

あえて結果解釈論的に、存在論主義的に言えば、誤謬をその開花した形態において感覚したり論じたりすることはそう困難なことではない。しかし、そのいわば〝兆し〟において直観し掘りさげることはそう簡単ではない。理論的武器や能力だけではなく、それらを駆使し活かす、実践的直観、さらに理論を適用し貫徹する主体の組織的主体性そのものが問われるからである。われわれにはそこが問われるのである。いわんや誤謬の開花した形態に直面し問題を自覚させられた時こそ、その組織的根拠をふりかえることが必要ではないか。

（かの「集団ヒステリー的錯誤」にももちろん〝兆し〟はあった。しかしその〝兆し〟を直観し警鐘を乱打したものの意見は、同志黒田不在下の党指導部によって封殺され、意見を提起したもの自身が精神的に崩れてしまった。その結果、やがて深刻な事態がもたらされたのであった。このような過去の苦い教訓を想起すべきではないのか。）

二　前回の論議において受けた主要な批判について

党指導部から佐久間・加治川にたいして提起された「批判」は次のようなものであった。

1　加治川や佐久間は、その脈絡・方法、アプローチのしかたなどを無視して基調報告・新年号論文の気になる部分だけを批判している。

2　アメリカ労働者階級の悲劇に関することは終わりの方に書いてある。そこに書かれていることが冒頭にも貫かれている。そもそも最初のところでひっかかって全体を吟味していないのではないか。

3　報告者の熱い提起に対する受けとめがない。批判的意見のみを言うのはおかしい。フラクション会議での論議であるのだから、報告の意義を確認して全体を武装するためにイニシアを発揮すべきではないのか。

1について

このような批判をするのであれば、そもそも政治集会基調報告と「解放」新年号（および『新世紀』二八七号）とでは構成に変更があることに、変更した側が言及すべきではなかったのか。私自身は、新年号を読んでから随分時間も経っており記憶が定かではなかったし、また手もとに現物をもってもおらず、その場で検証しつつ論議することが出来なかったため、後で再度検討したところ、構成そのものが変わっていることを改めて確認した。

基調報告では【1】は、「トランプのアメリカの登場――大地殻変動に見舞われる現代世界」と題されており、その「A」は「トランプ新政権登場の意味」とされていた。私は直接にはこの部分に疑問を抱いたのであった。ところが、『新世紀』二八七号では、【1】にあたる部分は「国家エゴイズムの相互衝突――新たな時代の幕開き」と題され、その「A」は「熾烈化する米・中の角逐」とされ、冒頭に『偉大なアメリカの復興』を叫ぶトランプ新政権の登場」が組み込まれている。これは【1】を「地殻変動」そのものの分析としてハッキリさせる、というようなことだろうと推測する。他面、「トランプ新政権登場の意味」という設定は、それ自体としては「地殻変動」の分析という角度からのものであったとしても、敢えて言えばやや「不純物」的なものだったのかも知れない。だから〝整理〟されたのだろう。

とは言っても、さしあたりまず、このこと自体について私は疑問を呈しているわけではない。少なくとも、基調報告のように「トランプ新政権登場の意味」という項を設けて述べるのであれば、「地殻変動」の観点のみならず、プロレタリア階級闘争にとってもつ意味、わが反スターリン主義運動にとってもつ意味について問題にすることは当然のことであろうと考える。いわゆる〝トランプ・ショック〟も冷めやらぬ一二月初めに全国の同志達が一堂に会した場で、どうしても外せないことがあったのではないか、ということである。対象的に言えば「アメリカ労働者階級の悲劇」ということになろうが、主体的には、アメリカの同胞たちがトランプにからめとられたという事態に対する反スターリン主義者としてのわれわれの身体的感情を共有し、実践的構えを確立することが不可欠であり、そのことは論ずべき具体的テーマや問題視角、方法および叙述内容そのものに先立つものだ、ということを私も同志加治川も訴えているのである。

この点で大きな弱点があったればこそ、中央労働者組織委員会名の論文のようなものが出てしまったのではないのか。（政治集会の報告や「解放」新年号・『新世紀』二八七号の論文のような対象化されたものにとどまらず、〝トランプ・ショック〟をめぐる当時の組織内論議そのものについても考えてみるべきではないだろうか。）同志川菲のような指導的同志が現時点でさえ「ヒラリー、ざまぁみろ！」というような感覚でいては、論議が進まないのは当たり前だと私は思う。中央労働者組織委員会名の論文のようなものが飛び出したことも宜（むべ）なるかな、である。

2について

「終わりの方〔二八七号の論文では「C　一大地殻変動の基底にあるもの」に当たるところとして私は受けとめたが。〕に『トランプの勝利は労働者階級にとっての悲劇』だと書いてあるじゃないか」と同志川韮が述べたと記憶している。（この記憶は同志加治川も同じ。）「終わりの方」はかなり俯瞰的概括的だったという印象があったので、論議の場でも右の同志川韮の発言には疑問を感じていた。帰って読み返してみたが、そのような文言自体が見当たらなかった。労働者階級（闘争）の否定的現実が述べられていることは当然であるとしても、「一大地殻変動の基底にあるもの」は基調報告の「E　一大地殻変動の基底にあるもの」と基本的には同じであり、「……という現代世界の大地殻変動の基底にあるものは、この〝カジノ資本主義〟と資本のグローバリゼーションのもとで世界各国で拡大した階級格差、すなわち十九世紀資本主義のような『古典的階級分裂』と『古典的貧困』の出現にほかならない。」というものである。報告では「資本のグローバリゼーションのもとで、世界各国で一挙的に拡大する貧富の格差。十九世紀資本主義のような……」とされていたのみであったが、『新世紀』ではさらに「階級闘争の死滅」が問い返され、「こうした危機的な事態を打ち破るために、いまこそ労働者階級の国境を超えた階級的団結とそれにもとづく国際的な闘争が創造されなければならないのだ。」と締められている。とはいえ、「基底にあるもの」の認識としてはあくまで∧末期資本主義の最期の姿∨とされているのである。（なお、今日の「階級格差」を「十九世紀的」と規定することには注意を要するがここでは論及しない。）

　これに対して『新世紀』二八八号の前原論文では、同様の設問に基づき、すなわち「現代世界の地殻変動の意味するもの、その基底にあるものについて述べていきたい。」としたうえで、アメリカ階級闘争・労働運動の腐敗にふれ、つまるところは「スターリン主義の犯罪」を述べている。この違いは実は大きいと私は考える。前原報告を、十二月政治集会基調報告の弱点を〃補強〃したものとしての意義をもつもの、と私は捉え、そのようなものとしては歓迎した。（私は、前原論文を若い新たな仲間たちに推奨し、読んでもらっている。）

3について

　指導部の上からの組織的追求に呼応して、下部組織成員もまた組織全体を武装するためにイニシアを発揮すべき、ということについては一般論としては異存はない。しかし、時と場合によっては訴えるべきことがある。中央労働者組織委員会名の論文のようなものが出てしまった現時点ではなおさらそうである。これは、1、2で述べてきた、さらには「1」で述べた見解の相違・対立がある以上、その止揚ぬきには解決しない問題であると考える。ましてや意見対立を確認し、掘りさげる努力を怠って、対立の根拠を異論を唱える者の組織性の歪みや「組織的共通感覚の欠如」に帰着させるのは間違っている。そのような「思想闘争」が積み重ねられるならば、わが組織内に〃翼賛〃的風潮すらもが醸成されかねない。すなわち党組織の官僚主義的変質が避けられないのである。

この点に関連して、あえて一つだけ付言する。同志川韮は「佐久間や加治川のような百戦錬磨の人が…」と言った。「百戦錬磨」とは一体どういうことだろうか。同志川韮はこの三～四 年間の思想闘争において、同志加治川や私・佐久間に対してどのような態度をとってきたか。特に同志加治川に対しては「「解放」読者からやり直すか」等という恫喝を二度にわたって行った。〝同志加治川が組織を飛び出すのではないか〟という危機感を抱いた、と言ったこともある（二〇一五年五月）。何か勘違いをしてはいないか。〝上から目線〟で見ているから、いつまでたっても彼・加治川の意見をそれとしてまともに理解し受けとめることができないのではないか、と私は思う。〝組織的にやっていることを邪魔されているように感じた〟とは、二〇一五年に同志川韮が一度は述べた反省の弁であったが、その点についてはその後どのように考えてきたのだろうか。意見の対立を止揚することを不問に付して、反対者に「邪魔されている」と感じるというような歪んだ感覚は、組織実践を通じて内に沈殿してきたものを基礎としているのであって、気がつけば容易に克服されうる、というものではない。事実、そのような「反省」はアッケラカンと反故にされたではないか。

三　党組織の現状についての私の懸念

1　「一」・「二」で述べたような意見の対立の他に、党指導部のこのような論議に臨む姿勢に私は疑問を感じている。なぜそこまで基調報告を擁護しなければならないのか、党指導部の上からの呼びかけに唱和すべきことがその内容的側面ぬきになぜここまで強調されるのか。

2　㮯闘争をめぐる論争について

この問題プロパーについては、基本的には別途論じるべきだが、ここで一言だけでも述べておくことが必要だと考える。

数年間に亘る㮯闘争、しかも党の〇〇組織（いや中央労働者組織委員会）の総がかりとでも言うべき一大闘争の結果としては、現状はあまりにもみすぼらしい。讃えられてきた「変革主体の形成」のかけ声とは裏腹に、その闘いを通じてもたらされた〝主体〟の現状は惨憺たるものといって過言ではない。（目指したものが現状程度であった、というのであれば、そもそも最初から取り組み方がオカシイというほかない。）

にもかかわらず、今日に至るまで、党指導部からは何の反省の弁も聞かれない。異常である。一体何があれば、反省するのか。いまなお旧㮯分会メンバー等の組織的な獲得をめざす闘いが行われているが、その成功的遂行のためにはいったん踏みとどまって、これまでの彼らにたいするわれわれの関わりを反省することが不可欠であると、私は考える。だが、党指導部のこの闘いの指導にたいして批判的意見を提起してきた同志加治川の訴えは、これまでと同様に今日でも完全に無視されている。同志加治川や私・佐久間の行ってきた批判が間違っているというのであれば、それはそれでも良かろう。何でもいいから党指導部の主体的な反省の弁はないものか、とさえ言いたくなってしまう。

煎じ詰めればこうである。同志加治川や私・佐久間に対する党指導部としてのある種の対抗的自己正当化意識のゆえに、大きなものを見失ってはいないか。己の足もとを見るべきではないのか。

3　党の指導部の重責を担う同志の皆さんの御苦労については、とりわけ同志黒田の逝去以降、私どもの想像を超えるものがあろうと思う。私には知り、共有することができないことも多かろう。申し訳ないという想いもある。しかし、そういう状況の中で私は危惧・懸念を抱く。その懸念の現実的由来については既に諸問題について述べた中で事実上表現してきたと考えるが、ここであらためて率直かつ端的に表明したい。

究極的には、懸念は一つだけである。――いかに厳しい階級的党的現実においても、党組織の、とりわけ党指導部の組織的・思想的な意味でのしなやかさが失われてはならない、と私は考える。かつて「賃プロ魂注入主義」と言われたような重大な路線的思想的な逸脱がもたらされなくても、党組織のしなやかさが失われ、さらには硬直化が進行してしまうならば、反スターリン主義運動は動脈硬化をきたし、心筋梗塞や脳卒中の危機に陥ることになりかねない。痛苦なことに、私は、この三～四年、組織内思想闘争のプロセスで屡々そのような危惧を抱かざるをえなかった。

その意味で言えば、私は今また一つの例を挙げていることにはなる。この論及が、決して私の独断的先入観に基づくものではないことは、右の論述から理解されうるところであると考える。

ところで、四月二一日には政治集会基調報告者の健康・体調の問題やその状況の中での党指導部の方々の意向、また御本人の熱意が反論的に示された。われわれに対して〝これだけ頑張っているのになんてことを言うのだ〃というわけである。それらの諸事情は私には知り得なかった事情である。しかし、そのような諸事情と、報告そのもののもつ思想的組織的意味とは区別されなければならないはずだ。私（たち）から批判を受けてから、私（たち）に対する反批判の一要因のような形でその事情が語られることには疑問を感じる。事情を知って捉え返したからといって報告そのものの受けとめ・分析・評価が大きく変わるものでもない。何よりも基調報告は、党組織全体を思想的に武装するという意味をもっているのであって、そのようなものとして厳しく吟味・検証されなければならないものなのである。逆に基調報告者に大きく成長してもらいたいと思えばこそ、なおさらその問題点を指摘しなければならないのではないのか。私たちは「お手並み拝見」式に冷たく見ているわけでは決してないのである。私たちがことさら報告者を貶めるようなことを意図しているかのような勘ぐりは、私たちに対する侮辱であり、誹謗中傷でしかない。党指導部の面々は、自分たち自身が批判されていることを重々承知で、報告者を衝立（ついたて）として利用し、私たちにたいする反感を示しているにすぎないのである。誰しも一般的には、報告者の話を聞き、「良かったなぁ」と思ったり、「なんだ、これは」と思ったりする。優れていると感じられる若者の登場は、私にとっても同志加治川にとっても喜びであり、〃希望〃をもたらす。もちろん、若い同志を革命家としてまさに反スターリン主義運動の指導者として育てることがいかに大変なことであるか、ということは承知している。

この三〜四年間というもの、組織内思想闘争の進展の奇異さからして、ある種の組織的〃事情〃（あるいは党指導部を構成する特定のメンバーたちの〃思惑〃のようなもの）が影響しているのではないか、と思うことが屡々あった。今回、党指導部の面々から「（基調報告は）組織的に論議してつくりあげた」ものだということが強調されている。まさにそうであればあるだけ、その問題点を真摯にふりかえる必要があるのではないのか。それとも党指導部が「組織的」につくりあげたものは神聖不可侵だとでもいうつもりか。

もとより、私も同志加治川も、反スターリン主義運動の前進をこそ、それのみをこそ希求し、わが党指導部に、それに相応しい志の高さを求めてやまないだけである。もちろん、党指導部にその高さを求める以上、その高さへの努力を私たち自身に課すこともまた当然のことと心得る。

最期に敢えて言おう。

以上は、「産報化」した労働運動の真っ只中で日々悪戦苦闘している革命的労働者としての実感を基礎とするものである。

二〇一七年六月二日

〔二〇一七年六月に組織的に提出したこの文書は、その内容上、革マル派指導部にたいする「意見書」としての性格をもつものであった。にもかかわらず、革マル派指導部は組織内討論に付すこともなく、その後も何らの回答もせず、論争を放棄した。反省もせず、反論もせず、一切の回答を彼らは拒絶した。二〇一六年末の政治集会以降の「トランプ勝利」をめぐる論争は、このようにして党指導部の側から政治主義的に打ち切られたのである。この事実は、党指導部が論争を回避するために〝神棚〟への逃亡を決め込んだことを意味する。

わが革マル派の生命線である「組織内思想闘争」そのものを彼らは破壊し放擲した。そして彼らが様々な理由をデッチ上げて組織内反対派を党外に排除するという暴挙に出た根拠が、党指導部としての官僚主義的自己保身に根ざすものであることもまた本論文から推察されよう。彼らは反スターリン主義運動とは無縁な存在に、いや敵対者に転落したのだ。あえて言えば、革マル派現指導部は、「黒田思想をわがものに」等という〝護教〟的言辞によって偽装した〝背教〟者なのである。まさにこのゆえに革共同第四次分裂が不可避となったのである。

〔二〇二〇年二月〕

トカゲの尻尾きり――革マル派指導部による「常任解任」の処置

黒島龍司

二〇一八年三月の合同フラクション総括会議の市民運動分科会で、私は、「白山さんを『解放』読者、定期カンパ者へオルグしたことの報告」を行った。

まさにこの場で、中央労働者組織委員会常任メンバーである川韮は、①参加している市民運動プロジェクト会議メンバー一人ひとりが退職者であることを確認し、「現役の労働者はいないですね」などと言って仲間たちをおとしめたばかりか、「私は現役です」と名乗りでた黒島にたいしては、「黒島は現役といっても、背広着ているだろ、そういうのに白山は惹かれてきたんだよ」と言いはなった。②「白山は小ブル、インテリだろ。オルグしたことは画期的なことではあるが、いろいろ趣味があるんだ。われわれとのつきあいも、映画とか、演劇とか、そういう趣味のひとつなんだよ」、と発言したのである!

われわれは、この川韮の発言を、わが組織（革マル派）の重大な欠陥を示すものと受けとめ、その根本的な解決をめざして内部思想闘争を展開してきた。この思想闘争において、自己保身にかられた革マル派最高指導部の古島、錠田、奥島らは官僚としての自分たちの地位が脅かされるという危機感にかられ、川韮の発言は彼じしんの個人的欠陥にもとづくものとみなして、川韮を常任から解任したのであった。それと同時に、私とともに川菲問題をつきだして闘った同志三人を、あらぬ「罪状」をデッチあげて革マル派労働者組織から追放したのである！

こうして、官僚どもによって川菲個人が「処分」され、川菲問題は官僚どもによってご都合主義的に処理されてしまった。

だが、私は、そんなことを絶対に許すことができない。

六か月にわたる組織内思想闘争においてあらわとなった彼らの腐敗した現実を、私は、赤裸々に明らかにしなくてはならない。

一　「川菲発言」とは

（1）分科会での論議の破壊

われわれは、二〇一一年三月一一日の福島第一原発事故以降、原発・核開発阻止の闘いに組織的にとりくんできた。すなわち、われわれは、原発に反対する労働者・市民たちを結集して、市民運動場面で市民団体を創りだし、この市民団体の担い手として組織的に活動しつつ、同時に、特殊な活動も位置付けイデオロギー闘争を工夫しながら行ってきた。そのような活動とイデオロギー闘争を前提として、さらにわれわれは、フラクション活動を通して白山さんを「解放」読者、定期カンパ者へと組織化してきた。川韮は、この貴重な組織活動とイデオロギー闘争の、さらにはそれらをめぐる内部思想闘争についての教訓を、いや白山さんの結集そのものを、「小ブルの趣味のひとつ」と決めつけることによって全面的に反古にしたのである。

市民運動場面でのわれわれの組織的追求から全く浮き上がり官僚と化した者の発言！

このことの持つ意味は大きい。なぜならば、川韮は二〇一一年の福島第一原発の事故を契機とした組織的取り組みの否定のみならず、「右翼組合主義へ陥没した労働者組織」を「賃プロ魂注入主義」で破壊してきたわれわれじしんをのりこえるかたちで追求してきたそれらの一切を、否定することを意味するからである。

私は、再度、『革命的労働者組織の再創造のために』（一九九〇年五月号、『共産主義者』一二六号所収）を読み返し、「賃プロ主義」の克服の過程で「清算」してきたものをも振り返り、場所的に闘ってきたからこそ、このように言えるのである。

（2）思想的頽廃の極み

川韮は、組織化対象である白山さんや組織化主体たるわれわれを「出身階層や職業」から「小ブルジョア（??）」ととらえ、そのうえで白山さんが「解放」の定期購読を、さらに定期的なカンパをすると決意したことを、「小ブルの趣味のひとつ」と決めつけた。そのことは、白山さんの発条や思想性・人間性について、およびそれらに規定されて現代社会の矛盾について湧き出てくる白山さんの感性的内容を、無視し、何ら考察していないことを意味する。それだけではない。そのような白山さんの実存をかけた感性的な訴えを、丸ごと受けとめ、ともに考えることを通して、白山さんを感化し思想的にも高めてゆく追求の一切を無視している。さらに、白山さんを組織化する過程での内部思想闘争や組織化主体たる私の自己変革の追求の一切をも無視したのである。これをして、革命的マルクス主義とは無縁な思想的頽廃の極みと言わずして何というのか。

白山さんとの思想闘争は、直面する大衆運動上の諸問題にとどまることなく、〈党派闘争および党派闘争ならぬ党派闘争〉、〈国家とその暴力装置〉〈革命的暴力〉〈ロシア革命とスターリン主義、およびソビエト〉〈共産主義と芸術〉など、四年の間に多岐にわたる。ここでは重要なことをひとつ紹介したい。

二〇一六年反戦集会への参加を促す「第五四回国際反戦集会　海外へのアッピール」を読み合わせた時のことである。

日ごろから、「ソ連、中国はひどい国だ」と言っていた白山さんは、「ソ連はあったほうがよかったんですか?」と、学習会の場で、素直な疑問をなげかけた。この疑問に対し、革命的フラクションメンバーである月山は、「(ソ連の存在は)歯止めになっていた」と述べ、またフラクションの指導部の一員でもある石切は、「(ソ連圏が)なくなったことは、痛い」と述べたのであった。スターリン主義の数々の犯罪への怒りすら感じられないこれらの発言を聞いた白山さんは、「スターリン主義打倒という人たちが、そんなこと言うなんて信じられない!」、と不信感をあらわにした。

私は、一方で「彼らは自己研鑽が足りない。黒田さんはソ連崩壊に直面した時、反スターリン主義運動の力でソ連スターリニスト国家を打倒することができなかったことを「慚愧の念に堪えない」と言った。われわれの多くは、そのような黒田さんの立場に学び、仁王立ちして歴史の歯車を正転させようとしてきた。スターリン主義の否定の中身についていっしょに追究してゆこう」と話した。他方で、このような反戦集会への白山さんの参加を促す論議の反省を、市民運動を担当するプロジェクトチームの会議で行った。実は、その場で、中央労働者組織委員会員メンバーたる奥島は、「(ソ連邦の存在が帝国主義の犯罪の歯止めになっていた) そういう側面はある」などと、月山を擁護したのである。

私の合同フラクション総括会議での報告は、このような自己変革をほかしてきたかつての仲間への批判でもあるのである。しかし、白山さんの疑問は、「……近代西欧的価値観にひれ伏しソ連邦を崩壊させた、ここにこそ現代世界を覆う悲惨の淵源がある」という革マル派のアッピール文にむけられたものであった。それは、反スターリン主義者の存在しない世界を、だから〝同志黒田を先頭にスターリン主義を打倒すべく実存をかけて闘い抜いてきたわれわれ〟がいなかったかのように現代世界を描くという客観主義丸出しの文だったのだからである。

白山さんの疑問は、現在の革マル派の客観主義に対する批判としてとらえ返しうる重要性をもっていたのである。私は、彼を変革するにふさわしい己を創り出そうと決意してきたし、実際そうしてきたのである。

（3）「加治川との闘争」という自己保身的・政治的な「組織決定」

二〇一八年初頭、同志佐久間は、Cフラクション会議の場で、二〇一八年「解放」新年号論文のリード部にある「どん底の底が破れるとき、光まばゆい世界が開ける」という論述を、「客観主義だ！」と痛烈に批判した。同席していた常任である錠田は「客観主義、で、す、か」と述べるのみであった。次いで、私は、「『どん底』という言葉は、われわれにとって『場所』を意味する言葉である。黒田の場所の論理とまともに対決したことのない人間が書いたのか？」「このような文章に共鳴、感銘する『反スターリン主義者』がいるとしたら、思想問題だ！」という旨の意見書を、Cフラクション会議および市民運動プロジェクト会議において提出した。

他のフラクションに属する同志東田もまた、同趣旨の意見書を川韮および所属組織に提出した。地区組織キャップでもある奥島は、「同感だ」と言いつつも、実際には握りつぶし私の意見書を葬り去った。その場にいたCフラクションメンバー、市民運動プロジェクトチームメンバーの私をのぞく諸成員は無反応という体たらくであった。

川韮の合同フラクション総括会議での発言以降に、川韮、奥島、石谷らは、「加治川との闘争に協力してくれ」と私にもちかけてきた。彼らは、「加治川は検闘争の総括を主張しているが、ヘーゲル主義だ、組織的取り組みの阻害者だ」と言って、同志加治川を批判した三通の文書を渡してきた。同志加治川が「阻害者」だということを立証しようとしている文章は、恐ろしく独りよがりで、超主観主義だったため、一読して問題になりようがないと、私は判断した。「加治川はヘーゲル主義だ」といって渡された「広松批判の批判」という文書について、私はこの「批判文」を書いたという労働者を気遣って丁寧に、慎重に〝あなたは、鏡的反映論のレベルですよ、そういうレベルでは加治川論文と格闘できませんよ〟という趣旨の反批判文を書いて提出した。当然のこととして、「加治川との闘争」への私のオルグは失敗した。そればかりか、同志加治川を根拠のないでっち上げに基づいて、思想的に葬り去ろうとしたが、逆に、彼らの「唯物主義」と政治主義を露呈させたのである。

私を「加治川との闘争」にオルグすることに失敗した官僚ども（川韮、奥島、石谷、錠田）は、この後、何度か川韮発言をめぐるCフラクション会議での論議で、追いつめられるたびに「加治川との闘争は、組織決定だ」（錠田）と吐き、他のフラクション成員が同志加治川、佐久間に共感することを恐れ、けん制していた。さらには、錠田、奥島は、私との個別論議で、私に「楡闘争の教訓は、佐久間、加治川と対決できなかったことだ」「彼らが指導部になったら組織が壊れる」「そんなに（組織が）おかしいというなら、出て行って、別の組織を創ればいいんだよ」などと、臆面もなくその自己保身的政治主義、官僚主義的言辞を吐いていた。

彼らの行為は、「これまでの思想闘争の作風を変えること。わが組織は〈形態的にはピラミッドをなすのであるが、本質的には上下も左右もない球体をなすのであり実体的には板状をなす〉ということの自覚にたって、一切のなれあいをなくし、わが同盟の伝統である組織内思想闘争を躍動的に発展させ、組織諸成員間の同志愛に満ちた生き生きとした関係を作り出していくこと」――このように意志し・かつ組織内思想闘争を組織化している私たちへの、敵対＝組織破壊以外の何物でもない。

二　川韮一人の「特殊な問題」として切って捨てた革マル派官僚

かの川韮の発言のあとの、二〇一八年四月一五日の市民運動プロジェクト会議で、川韮は、「不適切な発言」だと奥島に批判され反省を促されて、「自分は浮いていた」と自己批判した。だが、私は、かの川韮発言に何ら疑問も持たない、わが地区組織のメンバーたちの惨状に危機意識を燃やし、同志佐久間や加治川、黒江から助言と励ましを得て、粘り強く思想闘争を組織化してきた。五月二五日のCフラクション会議において、Cフラクションの同志たちの厳しい批判に直面し、川韮の発言にあいまいな態度をとれなくなった錠田は、「持ち帰って検討します」と言い、常任預かりとした。その後、川韮は、常任会議やフラクション指導部会議などを経て、六月二八日のCフラクション会議において自己批判書を提出した。

（1）自己断罪する川韮

その自己批判書で川韮は、合同フラクション総括会議市民運動分科会で発言した己を「労働者同志の感性・感覚とは全く無縁なところに浮き上がった腐敗した官僚になっていた」、「反組織的な行為」であり、「私は官僚そのものになっていた」と自己を断罪した。そのような己を「非革マル的考え方」であり、「常任失格、指導者失格」であると断定し、己の問題性を、「他者無視と三歳児性」「自分の意識に感じたものを実在化する亜フェノミナリズム」に陥っていることに帰着させた。このことは、「黒田さんや同志から批判されていたこと」であり、「私は、この批判を、自分の自己形成における決定的問題として受けとめて必死に自己変革することを放棄してきた」、というのである。これは、坊主懺悔と言わずして何と言うべきか？　必死に自己変革してこなかったのは事実であろうが、「腐敗した官僚」と化したことと「他者無視」「三歳児性」、「亜フェノミナリズム」といかなる関連があるのか？　あまりにも直観的であり、過去における黒田さんの指摘を〝答え〟とした結果解釈的な結論でしかない。このような「反省」を開陳することが私をはじめとする仲間たちの現在的批判を蹴とばすことになることを感覚できないほどまでに、彼は官僚化していたのである。

そもそも、川韮が、組織決定である「加治川との闘争」を内に秘めて市民運動分科会に参加したことはまちがいない。私（黒島）を加治川から引きはがすことは、党としての第一級の課題であったはずだ。そのような己の内にある「組織決定」を、いかなるかたちで実現しようとし、実践したのか？　そのような事柄に川韮は何も答えていない。それを追求しようとしたわれわれに対して、錠田、奥島、そして彼らに組織化されプロモートされた笹釜，月山、白井らは、論議そのものを妨害したのである。

川韮は、右の事柄には口を閉ざしたまま、己の個人的特殊性の問題を理由に、官僚どもに処分されてしまったのである。

（2）「川韮以下」の質を示した革マル派官僚

革マル派中央労働者組織委員会メンバーである比久見は、ある同志に「川韮問題は組織的根拠があるのでは？」と問われたとき、「確かにそういう問題はある」などと答えた。しかし後日、この同志に対し前言を翻し、「川韮問題は禍根だ」と彼ら官僚どもの本音をものの見事に自己暴露した。この輩は、検闘争において奥島ら官僚どもが組織的取り組みを破壊してきたという犯罪を棚に上げて、同志佐久間に「出て行け」とホザいた破廉恥極まりない輩だ。さらに比久見は、「佐久間は精神病の人もオルグ対象とする、考えられない」などとほざき、事実をゆがめているという問題に尽きない反労働者性をあらわにした。現代日本資本主義の強搾取によって肉体的にも、精神的にもボロボロにされているプロレタリア。このプロレタリアの疎外された実存からかくも浮き上がった官僚であることを自己暴露したのだからである。

さらに常任である岩下は、「彼はかわいそうだけど、一種の片端なんだよ」と川韮の特殊個人的な問題に矮小化した。彼らは、川韮が、なぜ、何を契機に、かの発言をしたのか、ということを隠蔽したいだけなのである。

さらに革マル派最高指導部である古島は、言ってのけた。「(黒田の後継者たるの実を示せ！　と訴え続けている）佐久間を増長させるのはよくない」と。

明らかにこんな組織に未来はない。

（3）奥島の自己保身

二〇一八年八月になって、奥島は、川韮発言にかんして「不適切だった」という判断から一転して、「常任にあるまじき」ものだ、という判断へと解釈替えをした、総括文（「常任にあるまじき同志川韮発言をめぐる組織内思想闘争の教訓」）をCフラクション会議に提出した。そのタイトルから「答え」を変えたということが、すぐにわかる。だから、同志佐久間、加治川、黒江はその批判の矛先を、奥島の没主体的な解釈替えにむけた。彼らに批判されたにも拘わらず、錠田、石谷、奥島らは、組織的に承認されたこの文書を認めよ、「奥島は反省したのだから、書けたのだ」と居直り、恫喝を交えながら押し切ろうとするだけであった。私は、このようなCフラクション会議での革マル派官僚の姿勢をただそうと、論議のまとめと没主体的な奥島の「転換」をあきらかにした文書を提出した。

奥島は、私のその批判を受けて、川韮の発言は「不適切だった」という自身のとらえ方から「常任にあるまじき…発言」へと転換したのかを示そうとした。その文書（「わたしは、五・二〇Cフラクションの論議をうけてどのように転回したのか」二〇一八年一〇月、奥島）では、五月二〇日の同志佐久間、加治川の発言を引き合いにだした。だが、同志佐久間と加治川の発言を取り違えたのである。それぞれの思想性・組織性・人間性も異なり、問題意識も違うのにである（いかに同志の批判を軽んじているかを自己暴露した奥島に対し、同志佐久間、加治川は烈火のごとく批判を浴びせた）。また、同志佐久間、加治川のその時の発言に自分は「はっとした」のだ、としているのであるが、彼は、決してこの「はっとした」という感性的な受けとめから思考が働かないのである。逆に、「転換」した「常任にあるまじき官僚、川韮」という解釈替えから「現実」をゆがめて拾い上げているのだ、ということが論議で明らかになったのである。しかし、この論議の最中に常任である石谷は、「そんなのどうだっていいだろ」とヤジった。実に恥ずかしい姿をさらけ出したのである。この奥島のような「答え」からそれに当てはまる「発言」を拾い集めるという非唯物論的思考法はきわめて危険である。閃きや、さらに上部機関からの下命によって「答え」をコロコロ変えてしまうからなおさらである。その変えた「答え」でもって被指導部の組織実践を描き上げ、この像を反省すべき「現実」として押し出すことになるからである。このようなことは、同志佐久間の今川さん支援に対する断罪＝追放処分において見事に発揮された。

このことは、単に思考法の問題にとどまらない、奥島の共産主義者としての主体性の確立の問題でもある。右翼組合主義者＝活動家レベルに堕していたわれわれが、「自己を見る内なる己を確立することの主体的根拠は主体性の確立にある」と、同志黒田に批判されたことを想起せよ！

彼らがいかに共産主義者としての主体性を喪失しているのか、明白である。そのことのゆえに、自らの組織性をも破壊し官僚と化しているのかということに、革マル派指導部の諸成員は全く無自覚なのである。

（4）川韮以下の「唯物主義」

川韮を「常任にあるまじき」官僚、「唯物主義」として切って捨てた革マル派官僚ども。しかし、彼らは、私がその問題を明らかにした二〇一八年三月末の合同フラクション総括会議以降、五月二〇日のＣフラクション会議での同志佐久間や加治川らの怒りに満ちた発言までは、川韮発言の問題性に誰一人として気がつかなかったのである。「反スターリン主義と全く異なるスターリン主義者と同質の「唯物主義」に転落していた川韮を一定期間最高指導部に抱えこんでいた」と、同志佐久間は批判した。素直にこの批判を受け止めることができない錠田は、「党の中にタダモノ主義者を気づかずに抱え込んだ指導部が私にそんなことを言う資格がない」という同志佐久間のこの言葉から、〃誰が、何故に、何に対して〃ということを無視・抹殺し、「言う資格がない」という部分だけを取り出し、〃政治主義だ〃と切りかえし、「同志黒田への罵倒だ、泥を塗っている」とすり替えたのである。

われわれは、二〇一八年の今日を問題にしているのだ。

同志黒田没後一二年たった今を問題にしているのだ。

これほど「自己中」で傲慢な常任を私は見たことがない。最高指導部の一角を占めていた川韮が、「自己変革を放棄し」「自己変革とは無縁な存在」になり果てていたのは、まぎれもない唯物論的現実だ。そして、ひとり川韮の「自己変革の放棄」の問題ではないことは、誰にでもわかる唯物論的現実だ。〈がある〉とはこのことだ。実践的唯物論者を自称するというのなら、この〈がある〉を直視せよ！

しかし、この錠田は「《がある》とは、相手を怒らせればたちまちゲンコツの雨〃仕返し〃を受けて痛感をこらえるほかのない世界」（「広松批判の批判」への錠田による補強文書）と同志黒田をいとも簡単にのりこえてしまった⁇　逆であろう。「相手を怒らせれば……世界」のそう言えるところの物質的なものを「《がある》」としか表現できないと同志黒田は書いているのではないか？　さらにもうひとつ、天体史過程、自然史過程と表現されるところの「《がある》」は、「相手を怒らせれば…世界」と規定することができるのか？

〃熟したりんごは、大地に落下しやがて芽が生えてくる世界、ブラックホールの発生、銀河系の誕生と地球の発生する世界〃は?? 結果解釈、ここに極まれり!! 〈現実（対象）〉と〈その認識されたもの、それの言語的表現〉と〈その言語的に表現されたものの妥当する対象〉の区別がないではないか。

だが、「《がある》とは、相手を怒らせればたちまちゲンコツの雨〃仕返し〃を受けて痛感をこらえるほかのない世界」と規定した錠田は、己が概念の実在化に陥っていることを如実に自己暴露している。「……痛感をこらえるほかのない世界」という規定を、その「……痛感をこらえるほかのない世界」と言語体であらわされ・表現された物質的・対象的なもの〈レベル―ゼロ〉が区別されず、「……世界」を〈がある〉として理解してしまっているのである。

これこそ「唯―物―論」というほかないであろう。このような輩は、簡単に無意識的に「概念の実在化」に陥るということを、同志黒田は指摘している。さらに、この様な人間には、場に規定され、規定性を転換し活動するということが「理解不能になる」と書いてあるではないか。（『実践と場所』第三巻）

このような輩に、組合員としての、組合役員としての規定性において繰り広げている同志佐久間の柔軟にして工夫を凝らした多彩な活動を理解できるわけがないのだ。同志佐久間は、官僚どもを「実存をかけてオルグしたことがない」（二一・二六文書）と批判的に表現したが、そのような問題にとどまらない、客観主義者の結果解釈主義という根本的な問題があるのだ。川韮も錠田も全く同じ官僚であるということだ。いや、いまだに革マル派官僚然としているということでは、錠田は川韮以下だということだ。

さらに『マルクス主義入門』の黒田寛一著作編集委員会はその前書きに「……黒田寛一の講演・講述は……労働者・人民にとって思想的な羅針盤となりバネとなる……」と結論している。

スターリンの『弁証法的唯物論と史的唯物論』や『経済学教科書』を教典として仰いでいたスターリン主義者たちを彷彿させるではないか。彼らは、スターリンの「お告げ」を「羅針盤としバネとして」生きてきたのではないのか？

『哲学入門』の学習会で、ある若い労働者は「黒田さんが主体的だということと前書きの筆者が主体的であるということは別ですよね」と感想を述べた。主体的たらんとするこの労働者を見習え！

たとえ、同志黒田のこの講演・講述を「熱く訴え、教えている」ことや、「問題意識」や「〈革命的マルクス主義の立場〉」に触れ、それらを羅列的にまとめ、「主体性の哲学がつらぬかれている」と説明しても、「全人類が、それによって生きかつ死ぬことができるような世界観（革命的共産主義）」（同志黒田）を己のものとすることがいかなるものであるのかを、この筆者たちは語ることができないのである。どこから「羅針盤」などという言葉が出てくるのか？　彼らは、同志黒田の教えが、「主体性の哲学」が、常に北を指し示し、労働者・人民のゆくべき進路を導いてくれるもの（＝羅針盤）としか表現できないのである。たとえ思想的という形容句が付されたとしても客観主義を覆い隠すことは決してできない。この筆者は、神の言葉を民に語り、世界観を変えようとする預言者にでもなったかのようだ。筆者は、己じしん、革命的マルクス主義者へと、いつどのように自己脱皮したのであろうか？　さらに自己研鑽と切磋琢磨などまともに行ったことがないのであろう。一定の組織的地位や己の現状に胡坐をかいているだけなのであろう。

「そこそこやっていけると思ったらもう終わりなのだ」（同志黒田）。

そして、このような官僚どもの学習指導によって主体性を破壊された、イエスマン的組織成員が育成されてゆく。同志黒田は、そのような組織を絶対に許しはしないだろう。

今すぐ、『マルクス主義入門』のかの前書きを削除し、同志黒田の墓前で土下座しろ!!

三　「組織はヒエラルキーだ」と叫ぶ革マル派指導部

客観主義こそ「党物神崇拝」「個人崇拝」の主体的・哲学的根拠をなす、ということは、反スターリン主義革命的マルクス主義の立場に立つ限り常識であろう。六〇数年の反スターリン主義運動の歴史のなかで、「組織はヒエラルキーだ」(江古田)と言ってはばからない組織指導部メンバーすら現れているのだ。勘違いなどでは済まされない。すでに革マル派組織が位階制になっていることの見事な表現ではないか。

われわれの川韮問題をめぐる組織内思想闘争は、共産主義者の主体性を基礎とした内部思想闘争の躍動的推進と分派結成の保証という結成以来の組織原則を破壊した、官僚どものあられもない姿を浮き彫りにした。

私への四回にわたる革マル派官僚、古島、奥島、江古田らによる査問=転向オルグにおいて、「三人を追放したままだとこれまでの内部思想闘争は外化してしまうけれど、それでいいのか?」と私は質問したが、官僚どもは何のことかわからず思考停止状態のまま、沈黙した。

後日、私は、奥島に、「謝罪し、三人を組織に戻せ、論議はそれからだ。そうしないならば、革マル派の看板を下ろせ!!」と通告した。

もはや、彼らは、革命的マルクス主義の立場を放擲し去ったのである。
革マル派を解体止揚し、新たな革命的前衛党を創造していこう。

二〇一九年一〇月二六日

「組織哲学」とは何か?

東田寛子

一　三回の踏み絵を突きつけられて

踏み絵

私は、二〇一九年四月から六月にかけて三回にわたって、革マル派の常任・岩下、平山、中央労働者組織委員会・比久見、鷺岡、Sフラクション指導部・南山、小島ら六人から、佐久間・黒島たちと決別することを強要された。

なぜ、そのようなことになったのか。

二〇一九年一月三〇日、革マル派現指導部は、最高幹部・古島を先頭にして、政治組織局、中央労働者組織委員会、中央学生組織委員会、解放社などに属する十数名のメンバーたちが——防衛隊をも配備して——、わが同志佐久間・加治川・黒江ら三人を組織的に追放するために、Cフラクション会議に突如乱入してきた。その場で、革マル派現指導部は、現実（Ⓑ）を捻じ曲げて作成した文書、すなわち、組織的に追放することを正当化するためのやっつけ的二文書（「佐久間の二つの文書（二〇一八・一二・二六付）についての労働者同志（関東）の見解」、「佐久間について――佐久間に問われてきた諸組織問題――」）を一方的に読み上げた。さらに、現指導部からあらかじめオルグされ自己保身にかられたCフラクションメンバーらが忠心を示すべく、同志佐久間への野次を飛ばす中で、同志たちが果敢に原則的な思想闘争を繰り広げた。それにもかかわらず、Cフラクションの代表であり産別組織のキャップである奥島が、同志三人への処分を言い渡した。すなわち、同志佐久間の追放と、彼の処分の不当性を主張する同志加治川および黒江に対する労働者組織からの事実上の除名である。

ここにおいて、反スターリン主義を標榜する革マル派現指導部は、彼らの誤謬を革命的に暴露してきた同志たちを実体的に排除し、革命組織としての生命線である組織内思想闘争をみずから破壊したのだ。ついに、プロレタリア階級闘争の前衛たるの責任を、現実的にみずから放棄したのだ。もはや彼らが反スターリン主義の旗を掲げることは、全世界のプロレタリア階級に対して許されない。

その後、同年四月、革マル派最高指導部の古島らから四度にわたって三人と決別することを強要された同志黒島は、産別キャップ・奥島に対して「同志三人に謝罪して、組織に戻せ！　話はそれからだ！　それができないのなら革マル派の看板を下ろせ！」と、厳しく弾劾したのであった。これに対して、現指導部は、同志黒島を先頭にして国会前行動に参加した大衆の面前で、同志黒島に暴行を加えるという暴挙にでたのであった。私は、現指導部の暴挙に怒りを表明した。

こうして私は、「佐久間を許していいのか！　黒島が反党行為を行ったことを認めるのか！」と、比久見・鷺岡・岩下・平山・南山・小島の六人から、三回にわたって、彼らとの決別を強要されることとなった、という次第である。

この論議において、彼らは、私に同志佐久間らを弾劾することを、革マル派組織に残すための「踏み絵」として強要したのであった。「こういう佐久間をどう思うのか、許せるのか！　こういう黒島を反党分子だと思わないのか！」と、執拗に官僚どもから、私は恫喝された。七月、なかなか「踏み絵」を踏まない私に業を煮やした比久見は、私を排除してSフラクション会議を開き、佐久間の文書「今川問題について」（二〇一八年一二月二六日付）の読み合わせをおこなったという。そして、比久見は、Sフラクションメンバー全員に、三人を組織から追放したことの正当性および黒島のしたことは反党行為であると押し出し、彼らを自分たち指導部の都合の良いように丸め込んだ。そうしたうえで、比久見は、私を動揺させるために、Sフラクション構成メンバー全員に私宛の「手紙」を書かせた。Sフラクション指導部・南山は、作り笑いを浮かべて、私にその「手紙」の束を手渡したのであった。このことによって、三度にわたる恫喝にもかかわらず、私の確信はますます深まった。

同年七月に予定されていた四回目の会議については、私は、南山に「一月三〇日に追い出した三人に謝罪し、組織に戻しなさい。黒島さんに謝罪しなさい。他に『解放』読者に降格されている人に謝罪し、Cフラクションに戻しなさい。二〇一八年以来の一連の事態について全フラクションメンバーに報告し、私に四人と決別することを強要したことを謝罪しなさい、話はそれからです。」と、突きつけた。彼ら指導部は対応不能となり、私を屈服させることを断念した。私は、彼ら革マル派現指導部と革命的に決別したのである。

私は、二〇一九年一月三〇日革マル派現指導部が三人の同志たちを労働者組織から追放したことを、結節点としてとらえることにより、全世界の労働者たちに官僚化し腐敗しきった彼らを打倒することを決意した。同年四月から六月までの三回の論議の中で、私は、自分自身が明らかに変わり成長することができたと思う。私は、それまで革命的フラクションメンバーとしての自分に甘んじ、中央労働者組織委員会の官僚である比久見に下部主義的な反発をするか沈黙するかしかできなかった。しかし、私は、この己を突破し、新たな反スターリン主義前衛党組織の担い手にふさわしい自己へと己をつくりかえるために、比久見らと対決しようと意志し、実践したからである。

その実践の内実と、その後考えたことを記していこうと思う。

〝禍根〟

二〇一八年三月末の合同フラクション総括会議において、革マル派最高指導部の常任・川韮は、市民運動の場で全実存をかけてオルグ活動を展開している同志黒島に、「(あんたのオルグ対象は)小ブルだ、(オルグ対象が運動に参加したことは、映画や演劇などと同じ)趣味のひとつなんだよ。」と、発言した。実践的唯物論とは無縁のこの発言に対して、同志黒島は怒りを燃やし仲間たちに訴えたのであった。だが、Cフラクションの指導的メンバーたちの中に、問題の深刻さを直感した者は一人もいなかった。その中でも同志黒島の訴えに共感したのが、後に追放される同志佐久間、黒江らであった。

この発言をめぐって、Cフラクションの同志たちからその欺瞞性を見抜く痛烈な批判を受けた川韮は、自己の発言の真意を隠したままに自己断罪的な「自己批判書」を提出したが、わが同志たちは真摯な自己批判を要求した。わが同志たちは、川韮を先頭とする革マル派現指導部に対して徹底的な自己批判を要求したのである。この思いもよらない展開に慌てふためいた古島を筆頭に革マル派現指導部は、自己保身にかられ、このようなことになったのは川韮の責任であるとして川韮を解任し、「常任にあるまじき同志川韮」と断罪し、常任・川韮個人の問題として片付けるという権謀術数を貫徹した。

佐久間・黒島たちと決別することを強要された論議の場で、私は、川韮がどうしているかと心配になって、常任・岩下に、「川韮さんは、その後どうしていますか。」と、訊ねた。岩下は、「(川韮は) 民間で働いているよ。頭でっかちにならないように。彼はかわいそうだけど、一種のカタワなんだよ。ずっとこもって勉強ばかりしていたから……。」と、私に答えた。まさに、この岩下の言辞こそが川韮個人の問題として組織的に片付けたことを示している。あぁ、これでは、川韮は革マル派官僚たちの犠牲者ではないかと、私は思った。

川韮の先の発言は、次のような問題なのである。

川韮が発言した直接的目的は、同志黒島が、楡闘争（解雇撤回・労組破壊反対闘争）をめぐって指導部を批判していた同志加治川、佐久間に支えられてオルグ活動を先頭になって切り拓いているということを眼前にして、彼ら指導部に対する批判の拡大を恐れ、同志黒島を叩くことであった。しかし、ここに、川韮ら革マル派最高指導部にとっての誤算が生じた。われわれが、同志黒島を先頭にして、徹底的に川韮の批判をしたからである。政治主義的自己保身にかられている革マル派現指導部にとっては、「川韮発言」はまさに〝禍根〟であった。すでに主体が壊れている川韮が真実を明かすような自己批判をおこなうかもしれないことを恐れ、みずからが安全地帯にのがれるために川韮を解任し、就職させた、ということなのである。これが、「川韮発言問題」に貫かれている組織的意味なのである！

比久見は、「労働者の気持ちがわかるように、働いてもらって、また戻ってきてもらう。」などと体の良いことを言う。私が、「川韮さんに問われたことは、そういうことではないですよね。」と、反論すると、比久見は黙ってしまった。川韮の弱さを知り尽くしている革マル派現指導部にとっては、川韮が労働者の気持ちがわかるかどうかなどは、どうでもいいことなのである。自分たちの〝禍根〟を断つことだけに腐心しているのである。

最高指導部の古島にオルグられ、喝を入れられた比久見は、すでに同志三人を組織から追放した安堵感からか、「黒島が、佐久間の問題は米粒大の問題で、川韮の問題は地球大の問題だって言っているんだよ。**確かに川韮問題は、禍根だけどね。**」と、私に本音を吐露した。

〝禍根〟とはよくぞ言ったものだ。彼らの震えが伝わってくるようである。

総括の回避

「川韮発言」をめぐる下からの思想闘争に現指導部がおののいたのは、その数年前から楡闘争をめぐる思想闘争において彼らが自己保身にかられていたからである。現指導部は、三人をこのまま組織内にいさせていたら、指導部をひっくり返される、と恐怖したのであろう。事実、奥島は「加治川、佐久間が指導部になったら大変なことになる。」と、同志黒島に漏らしていた。それほど身の危険を感じていたのであろう。

「楡闘争の組織的総括をやらなくていいようにするために三人を追い出したのでしょ！」と、私が発言したことに対して、常任・平山は、次のように答えた。「楡闘争のことで言えば、高裁で負けた時、『それみたことか。』っていったんですよ、加治川が。『もっと早く金銭解決をすればよかった。』って。高裁は、権力ですよ。これに負けた時に、みんなに酷いことを言ったんですよ。」（後に、同志たちに聞いたところ、これらの発言なるものは、彼ら指導部の自らの破産意識を投影したところのすべてねつ造である！）

なるほど！　新任の常任・平山は、最高指導部の古島らから吹き込まれたようである。当該産別の貴重な闘いの総括を行い、教訓をつかみ、新たな組織実践に生かすどころの話ではない。平山においては、みずからが担ったことでもない組織実践を、当事者から確認することもなく、みずからの指導部から言われた〝公式見解〟のみをうのみにしているだけである。

この資本制社会での裁判闘争を熟知しているはずの弁護士が、なぜ高裁での和解協議についてアドバイスをしなかったのかが私には不可解であったが、革マル派を信頼する弁護士からのアドバイスを革マル派指導部が握りつぶしたことが最近判明した。彼らは、高裁での和解協議に応じたほうが良い、という弁護士のアドバイスを握り潰してまで、職場復帰を掲げて高裁で対決しようと突っ走った。そして、まさに裁判依存主義にもとづいて闘い裁判官の理性を信頼した結果の破産であった。こういう彼らの指導の結果に直面して、組合員たちは、呆然としてしまったのであったが、この組合員たちに対して、彼らはどのように責任をとるというのか！

いったいぜんたい、革マル派現指導部は、自らが裁判依存主義にもとづいて引き回した組合員たちの現状——ある組合員は「裁判所は大岡越前だと思っていた。」と述懐している——について、革命的マルクス主義者として、どのように責任をとるというのか！

なお、检闘争の総括について、革マル派としてのまともな組織的総括は出せない。なぜなら、自分たちが問われるからである。常任・平山の言からすれば、革マル派の現指導部は、労働者合同会議の分科会で提出された「感動的な」笹釜のレポートが組織的な総括であるとして、組織を固めているようである。

比久見のめざす「党」とは？

一月三〇日に三人を排除することを通告した現場で、比久見は唯一、自治体労働者委員会という産別委員会としての署名のある「見解」文書を読み上げた。ひと目で比久見が書いたものだとわかる。彼女は、最後にこう罵声をあびせかける。「……露出しているのは政治主義と醜悪きわまりない自己肯定。佐久間は即刻わが組織から出て行け。そして組合の専従もやめろ。革マル派のツラ汚しだ。」と。これは悪どい誹謗中傷でしかないが、こういうやり方が中央労働者組織委員会・比久見の常である。

この比久見は、この私を、同志佐久間、黒島から切り離すための論議の場で、「党組織は、われわれが生きかつ死ねる場所〔ママ〕。佐久間は、そこに政治的なものを持ってきたり愚弄している。われわれは、土足で踏みにじられている。」と、言い放った。

比久見は、「党組織は、われわれが生きかつ死ねる場所」などと干からびた政治主義の頭でよくぞ言ったものだ。彼女においては、組織がなくなったら「生きかつ死ねる場所」がなくなる、ということであろうか。それはともかく、現在の革マル派組織は、その指導部によって上から下まで革命的マルクス主義とは無縁の組織になってしまったではないか。下部メンバーたちも上部指導部の変質に全く気が付かないか、気付いてもわが身かわいさに押し黙っている。

「マルクス主義とは、全世界のプロレタリアートばかりでなく全人類が、それによって生きかつ死ぬことのできるような世界観（革命的共産主義）の実体的な本質をいいあらわしたものにほかならない。」

（『革命的マルクス主義とは何か』七四頁）。

われわれは、このようなマルクス主義を己のものとすることを自己に課すからこそ、未だ見ることのない共産主義社会のために、死をも恐れずに日々を闘いぬくことができるのだ。官僚と化した比久見には、もはやそのことがわからないのである。革マル派現指導部を体現している比久見は、みずからの存在を脅かすものと感じて、佐久間を逆恨みしている。〝佐久間にほじくりかえされたくないこと〟を隠蔽しなくては、安心して革マル派の官僚としておさまってはいられない。にもかかわらず、佐久間は「土足でズカズカ踏み込んでくる！　許せない！」と、自分の身が危ういと思っている。いや、自己の安泰が脅かされていると一番感じ入っている革マル派最高指導部の古島から、そのように吹き込まれているのだ。

さらに、比久見は、組織成員間の思想闘争をみずから十分破壊しつくしているにもかかわらず、「黒島さんは、思想闘争が大切だといっているけど、一般的なことを言っているに過ぎない。ワクの側からのアプローチにすぎない。」「どういう組織をつくるのか、いっしょにどう考えるのかをいっていない。思想闘争は、何のためにおこなうのかと言えば、組織を強化していくためにおこなうもんなんだよ。思想闘争っていったって、佐久間がそういう対象かどうかだよ。」と、同志佐久間、加治川、黒江の三人を追放処分にし、「わが組織から即刻出て行け！」と悪罵を投げかけたその口が言う。

同志黒島は、革マル派組織の革命性を保つメルクマールの第一であるはずの共産主義者としての主体性が、思想闘争が、革マル派指導部によって破壊されている、このことを危機だと訴えているのである。比久見に体現される革マル派指導部の政治技術主義者にとっての〝思想闘争〟は、官僚的立場を利用し相手を自分の思い通りに従わせるための手段であるといえる。さらに、「思想闘争っていったって、佐久間がそういう対象かどうかだよ。」と、比久見が言うのは、佐久間は思想闘争において、自分たちの思い通りに従わせることができない対象である、ということが明確であるために、自分たちを脅かす存在として認識し、追放するしかみずからが生き延びるすべはないと考えている、ということなのである。

これが、彼らの「組織哲学」である。

決意

この三回の「踏み絵」を踏むことを強要された論議ののち、わが同志たちとの論議を通して私が分かったことは、革マル派現指導部が革命的マルクス主義の立場を喪失させた「党」組織にしていること、そのために、彼らはまた反スターリン主義戦略も歪めているということである。こういう指導部に変質させられた「党」を、中央労働者組織委員会・比久見は必死で守ろうとしている――このような「党」とわれわれは対決しなければならないのである。だからこそ、この私は、探究派の同志たちとともに新たな党を創り出すその担い手になることを決意したのである。

今、ここにいる私は、二〇一九年一月三〇日のCフラクション会議の場に居る自分を見ている。自分の目の前に、果敢に闘っている頼もしい同志たちの姿が見えるのである。そして、なんのためらいもなく、彼らと闘いをともにする決意を固めている自分が見えるのである。

反スターリン主義運動の創始者である同志黒田が、ハンガリア動乱を知った時に、何のためらいもなくハンガリア人民の立場に立つことができたことを、私は今、まさに受けつぐのだ。

三か月に及ぶ革マル派現指導部との闘いを通じて、私はこの立場を自覚し打ち固めたのだ！

さぁ、ここが、私のロドゥス島だ！

ここで私は、志半ばで倒れた仲間たちの無念の思いを背負って、私のマルクス主義者への飛躍をかけて、ここで跳ぶ！

二　革マル派現組織の「溶鉱炉」の底に溜まる燃料デブリ

私は、二〇一九年六月に、第三回目の査問を受けた。「いったい私が何をしたというのか？」という問いに関しては、誰も答えられなかった。しかし、その場に、自治体労働者産別きっての「理論家」であるWOB・鷲岡が登場してきた。

まるで妖怪と化した鷲岡は、「前衛党は、革命の溶鉱炉って言うだろ！　知ってんでしょ！　そんなに組織がおかしいと思っていたなら、なぜ『意見書』を出さなかったの？　なぜ、今回は『意見書』を出さないんだ？　出さなかったら大変だろ！」、と私を恫喝した。「前衛党は革命の溶鉱炉」と言われたときに、私は、何を言われているのか？　どこでそんなことが言われているのか？　と驚きのあまり、即座にメモを取った。

さて、鷺岡は「なぜ、今回は『意見書』を出さないんだ！」というが、現在の革マル派指導部に「意見書」を提出したところで、握りつぶされることはわかりきっている。そのように私が推測する根拠は、次のところにある。

数年前に、革マル派政治集会での常任・川韮の発言に対して、私が「一九五六年のハンガリア革命を旧ソ連の蛮行として他の事件と並列的に羅列するのは誤謬である」と批判した「意見書」を提出した時に、私はフラクション会議の場で四面楚歌の状態に陥ったのである。その論議を主導的につくったのは、査問に加わった南山である。たまたま川韮がチューターをしている学習会の場で、川韮本人に「意見書」を渡すことができたのだが、その時には、「川韮が蹴ったら、もうこの組織は終わりだ」と決死の覚悟をもって私は臨んだのであった。しかし、この時の川韮は、動揺はしていたが、「あなたの主張することは、全面的に正しい。受け止めなかったメンバーたちが間違っている、そのようにフラクションのみんなに伝えてくださいい」、と表明し、「意見書」を受け取った。そのことを所属フラクションに持ち帰って報告したところ、WOB・比久見だけは、「だからどうした！　政治集会では、もっと大切なことが言われていただろう！」、と——われわれ反スターリン主義者にとっては原点であり基本的なことが主体化されていない、ということを批判されたにもかかわらず、——官僚然として居直ったのである。さすがに、身の振り方が上手な南山は、「いえ、このことが一番重要なことです」、と私の擁護に回った。その翌年の三つのフラクションの合同会議の場で、担当常任・古木が川韮の誤りを全員に紹介したのであったが、ほぼ全員がなんのことなのかわからないという状態であった。革命的フラクション成員の思想状況の荒廃をあらわしているという感であった。今からとらえ返すと、比久見からして、私の批判を受け止められなかったということは、革マル派の指導部がすでにおかしくなっていたということではないだろうか。道半ばにして、凶に倒れた同志たちにも申し訳ないと思った。ただ、この時は、川韮がまだ、その後ほどには壊れていないときであり、常任・古木もまだ外に働きに出るという「処分」を受ける前の話である。

政治集会での川韮の発言の内容は、次のようなものであった。

革マル派代表として発言した川韮は、一九五六年のハンガリア革命を、旧ソ連の蛮行として、チェコスロヴァキア侵攻・中越戦争・アフガン侵攻・ポーランド侵攻・チェルノブイリ原発事故などといっしょくたにして、並列的に羅列したのである。しかも、「われわれは、反スターリン主義の立場に立って、これらのことと対決してきたのである」、と展開したのである。私はこの川韮発言に対して、「一九五六年のハンガリア事件を黒田寛一がハンガリアの労働者の立場に立って共産主義者として主体的にうけとめた、ということがなかったら、反スターリン主義運動は誕生しなかった。この黒田の主体的うけとめを、その後のソ連の犯した階級的犯罪への対決と同一視して、あたかも最初から反スターリン主義の立場にたっていたかのように言うのは、結果解釈主義の権化だ！」、というように批判した。川韮発言の当該部分は、翌年の「解放」新年号では大幅に書き換えられていた。

ところで、「(意見書が) 握りつぶされるのはわかっている」とは、現に、同志黒島が提出した「意見書」をＷＯＢ・奥島が自分のところに留め置き、上部機関にあげなかったということを自ら認めた事実に基づいている。川韮は、「東田の分はもらったが、黒島のものはもらっていない」、と暴露した。信頼できる先輩同志たちの言うことによれば、「意見書」というものは、本来、すべての党員が目をとおし検討するものである、とのことである。そのことを最近知って、私は、胸が熱くなった。やはり、本来はそうあるべきなのだ——と。

ＷＯＢ・鷺岡は、自分の姿を他者の目を通して観たことがないかのように、「前衛党は、革命の溶鉱炉」などという意味不明のことを言った。が、しかし、今一度『組織論序説』を噛みしめて読み直してみよう。

「現代革命の完遂というこの世界史的課題の遂行は、同時に、各国の政治経済構成の民族的特殊性における、労働者階級の構成実体としてのプロレタリア的諸個人の・実践と前衛組織を溶鉱炉とする・人間変革の過程でもなければならない。」（三〇七頁）

「プロレタリア諸個人の・実践と前衛組織を溶鉱炉とする・人間変革の過程」とは、どういうことなのか？まず、われわれにとって、「前衛組織」とはどういうものか。

『組織論序説』では、次のように述べられている。

「支配され搾取されるものとしてのプロレタリア、人間という外貌にもかかわらず本質的には労働力商品としてのみ実存することを許される物化された人間としての賃労働者が、かかる疎外からみずからを解放せんとする闘い、その先頭にたって、彼らを「階級」として組織し、支配し搾取する階級としてのブルジョアジーの資本制的秩序の破壊に動員し、それを変革し、階級対立の根絶、政治と国家の死滅の経済的基礎を確立し、もって人間の人間的解放を実現せんとする共産主義者のこの現実的運動の実体的基礎が、前衛組織であ」る（二二四頁）、と。

では、その「実践と前衛組織を溶鉱炉とする・人間変革の過程」とは、どういうことか？　〃溶鉱炉〃とは、どのようなイメージなのか？　「実践と前衛組織を溶鉱炉とする」とある、なぜか？　〃溶鉱炉〃からは、「一切のブルジョア的汚物」を溶かす赤々と燃え盛る炎をイメージできる・「実践の火」であり「前衛組織における人間変革の炎」である。われわれを、実践の中で、不屈のプロレタリア階級闘争の闘士として鍛え上げる熱い炎。しかも、その炎は、一旦落としてしまうと、再度燃え盛る炎をつくり出すのには膨大な時間を要する。その溶鉱炉として・実践と対をなす前衛組織が「人間変革の過程」たりうるのは、実践をつうじた「一切のブルジョア的汚物からの訣別と自己否定をとおして獲得されるべき共産主義的人間としての主体性の確立」のための一刻一刻の終着のない・前衛組織の担い手である限り続く闘いのことではないのか、と私は思うのである。

しかし、私に「前衛党は、革命の溶鉱炉って言うだろ！　知ってんでしょ！」、と言ったWOB・鷺岡は、『組織論序説』で展開されていることをおのれの鳩尾に貫いているのであろうか!?　「溶鉱炉」という言葉は頭の片隅に残っていたとしても、実践に生かされないばかりか、組織内の思想闘争を破壊し、指導部を批判した同志たちをわが同志黒田の創造した反スターリン主義革命組織から排除した鷺岡ら党官僚どもがつくりだしている「溶鉱炉」はもはやその火を落して、「実践と前衛組織を溶鉱炉とする・人間変革の過程」ではなくなっている、といわなければならない。かつての赤々と燃え盛っていた時代の遺物が、デブリとして炉底にこびりついているのみ、といえる。そして、そのデブリは錆で覆われている。それはとりもなおさず、現革マル派組織成員たちが、前衛党の五つのメルクマールの第一の「共産主義的人間としての主体性」を破壊した、ということである。この組織は、もはや、プロレタリアの階級的全体性を体現してはいないのである。

同書の三一一頁では、「まさしく現代革命は同時に人間変革として実現されなければならず、共産主義社会の組織的母胎を場所的に創造してゆくことこそが、現代におけるプロレタリア党の眼目であり、実現されるべきコムミューンは、革命的マルクス主義で武装し、同志的信頼と実存的交通とによってささえられた前衛組織そのものの内部に、すでに発酵するものでなければならない」、とある。

しかし、そのようなものは、現革マル派の組織の一体どこにあるというのか!? 草葉の陰で切歯扼腕しているのは、同志黒田ばかりではなく、凶に倒れた同志たちではないのか!!

ところで、現革マル派指導部は、昨年あたりから「組織哲学」なることを言い出してきた。このことに対する根底的な批判は、『コロナ危機との闘い』「黒田寛一亡きあとの主体性なき者たち　六　組織成員を自分たちに盲従させるための哲学」（松代秀樹論文）に詳しい。

さて、昨年の「解放」紙上をにぎわせた「実践論を体得する」という胴着を着た変な人物の構え！　どこの産別か知らないが、黒田哲学を主体化するために、講師は、図解の順番に沿って参加者に体操を行わせた。そして、全員がそれに従った、違和感なく……。その後、「解放」紙上で、「実践的立場に立てた」などと、感想が続けて掲載された。

われわれが、実践的立場に立つ、ということは、こんな体操のポーズをとることだったのか？　「違うでしょ!?」と批判する組織成員は……いなかったのであろう。いないからこそ、堂々と感想文が掲載されたのである。しかし、いくら下部組織成員たちに、自分たち組織指導部を批判した組織成員たちを追放したことを隠そうとしても、隠しとおせないであろう。

同志松代は根底的に批判する。

「この事態〔党組織指導部を批判した革命的フラクションメンバーを粛正したこと〕を自己保身的かつ自己保存的にのりきるために彼ら組織指導者たちが提唱しはじめたのが、「組織哲学」なるものなのである。同志黒田寛一が組織成員のあり方をわかりやすく説明するためにもちいた仏教用語たる「自利即利他、利他即自利」を、……自分たち現指導部の指導する現存の組織におのれを合わせ、この組織の利益がおのれの利益であると感じるようになることが、わが革マル派の組織成員のあるべき姿なのであり、組織成員の組織的主体性なのだ、と説いているのである。これが、この「組織哲学」なのである。これは、下部組織成員たちから批判精神を奪い取り、現組織指導部に盲従する誓いをたてることに誘うものである。これは、現在あるがままの党を物神化することへの導きなのである。」（一一四〜一一五頁）

この三回目の査問を受けたのち、かつての同志たちとのこの論議をとおして私がわかったことは、革マル派現指導部は革命的マルクス主義の立場を喪失している「党」組織になっている。そして、そのために彼らの反スターリン主義戦略も歪められている、ということである。このような変質した「党」を、WOB・鷲岡等は必至で守ろうとしている、いや官僚たる自分自身をこそ守ろうとしている――このような「党」とわれわれは闘争しなければならないのである。だからこそ、この私は、真の同志たちとともに新たな党を創り出す・その担い手になることを決意したのである。

さぁ、私は、自己のマルクス主義者への飛躍をかけて、〈いま、ここで〉跳ぶ!!

二〇二〇年一月一八日・加筆二〇二〇年九月五日

討論記

辛島翠水

私は、佐久間を弾劾しないという理由をもって、Cフラクションの成員から「解放」読者の身分に格下げされ、「個別論議」で、党中央に従順なメンバーたちから「佐久間を弾劾せよ！」という追及を受けることとなった。私は、一七回にも及ぶ個別論議を通じて、彼らの目論見を粉砕した。以下はその討論の記録である。

第一回「個別論議」なるもの（参加したのは奥島のみ）

奥島「よくわからない。闘争を『左翼小児病』と言うが、何をさしているのか。楡闘争ではこの闘争で組合組織を強化してきた。分会長の葛城を〃パチンコ狂い〃と言いふらしているらしいが。」（と辛島に文句を付けたので）

辛島「嘘つくな。そんなこと言ってる人間いるのなら連れてこい！」（とテーブルを叩いて抗議したら、それまでの尊大な態度をやめて引き下がった。）

辛島「高裁判決後も復職なき和解反対という方針を掲げた運動は、国家（権力）を直接否定するに等しいものではないか。この批判には何も応えていないではないか。」

奥島「それはE_{2u}（闘争＝組織戦術E_2を具体化したもの）だ。」（くりかえす。）

「それに、常任である川韮は、その運動方針解明には全くかかわっていない。」

辛島「では、その方針はだれが解明し、推進したというのか。」

奥島「解明したのは綾島だ。推進したのは笹釜だ。」

辛島「笹釜は、C会議でいくら聞いても答えなかったではないか。」

奥島「笹釜は、文書をだしている。本人から聞いてほしい。」

辛島「組合運動を組合全体の運動ではなく、『分会を主体にした』運動としていたのではないか。」

奥島「当該組合は合同労組で、組合の全体会議（執行委員会）は開かれても専従が報告するだけだ。したがって、専従以外の執行委員が指導することもない。」（それでは、笹釜は専従なの⁇）

辛島「楡闘争の総括、川韮問題の総括を全体でやらないのか？」

奥島「川韮の問題は、川韮が佐久間・加治川と対決できなかった結果、自己批判し、『佐久間に学べ』と追随したことにある。」

辛島「そうだとして、なぜ全体でやらないのか？　なぜ、フラクション総会など全体で論議しないのか、民主集中制にもとるのではないか。」

奥島「川韮批判は、『組織総括の方法』を適用してやっている。全体論議はやる。もっと『個別論議』をしてから……。」

総括の方法については、具体的には展開せず。

今川生活支援問題については、論議せず。

二〇一九年二月五日

第二回　ピラミッドの欠片

奥島「白井も話をしたいと言ってるので、今日は白井にも参加してもらう。」

奥島・白井「辛島、あんたは、佐久間のやっていることについて、どういう態度をとるか表明していない。見解を聞かせてくれ。」

辛島「すでに財政会議の後に表明したじゃないか。今川さんがけがで働けなくなって生活に困窮していたことに手を差し伸べたんじゃないか、と。今川さんはやさしい人だが、甘い人でもある。佐久間さんも、今川さんのそのあたりの分析把握に甘さがあったのではないか、と。しかし佐久間さんの言い分も聞かないで、一方的に組織決定だとして、処分するのはおかしいって。白井さん、あんた、川韮問題はC会議だけでなく、『フラクション総会をひらいて話し合うべきだ。』と私や黒島にサジェスチョンしてくれていたではないか。その考えは変わってないのか。今回は、違うというなら理由を聞かせてほしい。」
白井「あの時はそう言ったが、今回は違う。」
辛島「その理由を聞いている。何が違うのか。」
白井（錠田文書を出してきて興奮気味にしゃべる）「これ読んだか。」
辛島「ざーっとは読んだが、目の状況が悪くて細かくは読んでないが……。」
白井「ぜひとも細かく読んでくれ。」
辛島「わかった。読んではみる。しかし総会を開かない理由はまだ言われてないが……。」
白井「組織（党）が決定したんだ。（だから総会を開く必要はない。）辛島は民主的にみんなで決めろと言うが党組織は指導部が決めればいいんだ。川韮についても（錠田文書をさしながら）別の指導部の組織で論議して働かせることにしているんだ。ちゃんとやっているんだ。」
白井は、また次のようにも言う。「組織はピラミッドなんだ。」
辛島「へーそうなんですか。」
白井「ピラミッドでなければならないんだ。」
誰がそういっているのかとよほど突っ込もうかと思ったがさしあたりやめておいた。そういえば江古田は「組織にはヒエラルヒーがある。」とも言っていたようだ。このような組織論はブルジョア企業や軍隊の組織を語る時に語られるものであるが、彼らは前衛党についても今回このような考えに統一したものと思われる。まさしくスターリン以下のスターリン主義者と呼ぶにふさわしいではないか。組織を〝形態的にはピラミッド的だが、本質的には球体〃をなすと明らかにした同志黒田寛一が、このような似非前衛党組織論を耳にしたらカミナリを落とすに違いない。

佐久間さんの今川さんの支援の話に関連して、私が「(津波とフクイチの原発事故の影響を受けて、仙台では)赤ちゃんのミルクも買えないで死なせてしまったり、無理心中事件があったと報道されている。労働者階級の貧窮化のあらわれではないか。こういう現実に踏まえないで労働者階級の解放を語れるのか。」と問うと、「それはそうだが、われわれは貧民救済団体ではない。革命党なんだ。」と、現実の労働者階級がおかれている状況には心を揺さぶられつつも、それらを直視することができず自らの観念した革命党なるものから単純にかつ無理やり自己納得しているのであった。このような革命党指導部気取りで下部フラクション員佐久間を「自己肯定主義者」となじり、上から「自己批判せよ。二つに一つだ。自己の態度を明確にせよ。」(一二・二六錠田)と平気で口にする、このような「形式論理」を振りかざす、弁証法の何たるかも判っていない二者択一論者が大手を振って跳梁跋扈している。仮に百歩譲って、佐久間さんが「官僚主義者Nから悪いところだけ受け継いだ」と言いうのであれば、そういう佐久間や「佐久間に屈服した」川菲を変革することができなかった党組織指導部そのものの問題ではないのか。その自己批判ぬきに「出ていけ」ということこそが反組織的欺瞞ではないのか。

かのハンガリア労働者の決起に無条件で共鳴し反スターリン主義運動を創設した黒田寛一の実践的立場も、その哲学=内在即超越の論理も放擲している、と言わずして何というべきか。

常日頃、「自分は肉体派だ」だの「ブクロ派のマオの前歯を折ってやった」だのと自慢しているのが白井さんである。かの一・三〇処分通告のC会議の場に動員されて、なだれ込んできた中央学生組織委員会、解放社や諸機関員のヤクザまがいの言動の思想的腐敗の根拠が、そしてその模範的実例がここにあるといっても言い過ぎではないと思う。

　話の途中では、白井は、辛島の出身地方の支社のことや、辛島の妻のことにも触れたり、川韮問題で黒島さんが川韮批判に「起ちあがった」ときは自分も佐久間や黒江と同じように「黒島を支え、励ましたんだ」と言い訳していたが……。ほかにも、以前、白井が「川韮問題の奥島の主体的反省だ」と持ち上げていたところの奥島の「わが転回」文書への辛島が書いた感想について、白井は「辛島はことわざや格言が好きだね。」と批評して、「分析」したつもりになっている。

　しかも、それにことよせて、佐久間さんの今川さんへの生活資金融通について、あろうことか「どろぼうにも三分の理」だか「五分の理」だの、付け焼刃の「ことわざ」を持ち出し、途中で自分でも何言ってるのかわからなくなったり（ご愛敬）しながら支離滅裂な、あたかも佐久間さんが組織の金を盗んで、「酒と女にだらしのない」今川さんに「貸し与えていた」かのように、悪意に満ちたデマゴギッシュな解釈を開陳したりもしていたが……。

二〇一九年二月八日

第三回　ヤクザも驚く言いがかり

白井「今日は、月山も参加してもらう。」

月山「あんたは、佐久間のやっていることについてどういう態度をとるか表明していない。見解を聞かせてくれ。」
辛島「すでに財政会議の後表明したし、前回のこの場でも表明したじゃないか。」
月山「いつだ。」
辛島「一・三〇だ、何度いわせりゃ気が済むのか！　これは査問か、それとも尋問なのか。」
月山「……」
白井「辛島は、怒って『出ていけ』ってやってたじゃないか。」
辛島「あんな処分の仕方ってあるんですか。開催されていたC会議に、大勢で押し掛け、その人たちがヤクザ・暴力団と見まがうような暴言・脅しをかける。そのうえ、佐久間や加治川の言い分も聞かないで一方的に組織決定だとして処分するのは、おかしいからやめさせようとしたのだ。」
月山「ヤクザ……そんなことなかった。知らない。」
辛島「うそいうんじゃない。知らないんだったら、だまっていなさいよ。白井さん、どうなの。あれが一一・八を反省した革マル派の態度なの？」
白井「うーん。確かにいいすぎ……。しかし怒りの表明ではないか。」（ずるい対応、怒りがあれば、何をやってもいいって認めているのであるが……。）
辛島「（白井に）言い過ぎだったら、なんで止めなかったのですか。」（白井とは違って、解放社の事務局メンバーの言動にその場にいながら、「聞いてない」と何らの否定感も持ってない月山には。）『ああいう言動をしたら、すぐ首だった。』という黒島さんの怒りの声をきちんと聞いた方がいい。」

月山は、初めはこの間のC会議の場での如く、興奮ぎみにしゃべっていたが、この後は一転おとなしくはなった。

辛島「白井さん、あんた、川韮問題はC会議だけでなく『フラクション総会をひらいて話し合うべきだ』と私や黒島にサジェスチョンしてくれていたではないか。その考えを受け止めて私は、総会で論議すべきと提案しているし、他のフラクション会議へも参加させてほしいとお願いし、その場にいた人達の賛成を得ている。」

白井はこれには対応せず、しかも変わった理由は言わずに、「最近、川韮も参加しての川韮発言問題での総括論議をする総会の開催から、考えが変わった。フラクション総会では、今川問題をやると変わった。」と言ってのけた。これぞなしくずし以外の何ものでもないかではない。誰が、いつ、どこで決めたのかは語らないが、わざわざ朝倉さんや西條さんの名を出して、彼らも認めているかのように押し出した。

そこですかさず、私は「佐久間さんも参加させての総会か？」と問いただした、これには答えない。

つまり、革マル派中央指導部（の川韮）が、黒島さんらの白山さんオルグをつぶすような暴言をしたという、白井らの言う「革命党」の重大な反階級的な行為には目をつむり、一フラクション員たる佐久間の今川さん支援にはそれ以上の重大な「組織破壊行為」なるものとして印象付けるために、「泥棒（悪い奴）にも五分［?］の理」なる「ことわざ」を振りかざしはじめているわけだ。またもや、話の途中で訳が分からなくなってしまっていたが。

このあたりで、長い沈黙に耐え切れなくなった月山は、白井に代わって、川韮の弁護を買ってでる。「原発問題で重要な論文を書いたのは川韮だ。反原発運動を理論的に支えてきたんだ。」（「そんな人がなぜあんな暴言を吐いた！」の一喝で撃沈。）

これでわが意を得たとばかりに白井は、先の辛島の書いた「転回についての感想」へのケチ付けに乗り出す。

曰く、「最後のほうで書いている小ブルジョア階層出身者の革命的プロレタリアへの変革についての言及は、川韮と同じ（??）基底体制還元主義だ。レーニンも小ブルジョアだったんだ。」（意味不明）

今回も、白井は、また次のように言う。「組織はピラミッドなんだ。ソヴィエトの大会では、代議員ではないトロツキーやレーニンが発言しリードしていた」と。

辛島「どこに書いてありますかね。」

白井『反スタ２』に書いてある。〔？〕

彼らには、「統一戦線の最高形態たる」ソヴィエトも、「前衛党組織」も、区別がないらしい。

二〇一九年二月一三日

第四回「二・三〇は追放だ。標的は一つにした。」

会合場所に向かう途中の改札を出た路上で、打合せ中の白井と月山に遭遇。

二人は、私が着いた後、五分ぐらいして入ってきた。白井は傘も持たず、かなり雨に濡れていた。月山は、三冊位本をバッグで持参していた。

白井「一・三〇は、資格や地位もない追放だ、革マル派組織の総意であり、総会を開く必要はない。辛島は、ヤクザ云々と言ってるが、一一・八とは関係ない。」(月山は、一一・八と聞いても何のことかわかっていなくて、白井が『川口君の件』と言って、ようやく理解した。)「私が言っていた総会とは、佐久間のつるし上げのための総会のことを言っていたんだ。」

白井「(急に話を戻して、一・三〇のヤクザ的言動は) 正しいとは思わないが……。佐久間は、解放社から飛び降りて、逃げ出したんだ。」

辛島「白井さん、あんたも苦しくなって、逃げたいと考えたこともあったと、言ってたじゃないか。」

白井「佐久間は、『あれは抗議のための飛び降り』と居直ったり、『川韮を養ってやる必要はない』とまで言っていた。」

辛島「だから、追放すると言うのか。」

白井「行政処分をしているんじゃない。まだ能書きを言わせているのか (と言われているが)、弁明の機会を与えているのに、佐久間は無視している。総会は一つの手段、標的を川韮から佐久間に変えた。」

辛島「川韮問題の総括は、やらないということなのか。」

白井「川韮問題の論議は、始まったばかりだ。奥島や川韮の立場に立って考えろ。プロジェクト全員でやってきたんだろ。組織総括=自己総括だ。あんた自身が、どう総括するのか。あんたが判断していないから、会議に呼んでない。自分のこと言わないで、『総括しろ、総括しろ』と言っているが、自分がトップだったら、どうするか言わないと、状況を除去できない。」

（最後は、脅し、）「人生かけて、文章を対象化しろ。」

第五回　会議は踊らない

二〇一九年二月一九日

会合場所には、白井と月山が先に来ていた。
私が書いた質問書を、それぞれ、関心のある所に線を引いて、読んでいた。
白井（質問書のタイトル「佐久間、黒江、加治川らの『追放処分』とかいてあるのをみて）「追放は、佐久間だけだ。黒江・加治川については、追放ではない。加治川は、自分を正当化することばかり書いている。佐久間VS奥島という観点から書いている。奥島打倒しか考えていない。一一月下旬のC会議で、私は佐久間に対して『許さないからな』と言った。佐久間は、プロジェクト会議で川韮のことを『ああいう常任、養ってやる必要ない、除去しなければならない』と言った。」
辛島「そういうことは、C会議では、論議もしてないではないか。」
月山「辛島、あんたは論議もしないで処分はおかしいというが、佐久間と奥島は論議をしている。」
白井「革マル派（党）の幹部から働きかけがあったというのは、でっちあげだ。個人が言ったことを勘違いしたんだ。」

辛島「革マル派（党）の幹部って、だれのことですか？」
白井（誰かは言わずに）「佐久間は指導部を突き上げるチャンスと思って川韮問題を利用した。」
辛島「川韮問題について、白井さん自身は、どういう問題ととらえているのか。」
白井「黒島が先走った、と川韮は考えた。そこから『小ブル……』と軽く言った。川韮のつくられてきたクセだ。これは運動＝組織づくり上の問題で、Y面に関わることだ。組織建設上の問題ではない。佐久間・黒江は、川韮問題を指導部をやっつける問題としている。第三次分裂の時は、下から運動を作りながら指導部を浮き上がらせていき、官僚主義を打倒していった。」（これが、第三次分裂の白井式教訓のようだ。）
白井「辛島、あんたは佐久間・黒江の尻馬にのっかってばかりいる。何らかの動機で……。奥島の批判ばかりしている。（尻馬に）乗る相手を間違えている。あんたが指導部だったらどうするの。佐久間・加治川は、楡闘争問題からしか考えない。革マル派フラクション成員として一緒にやっていけない。」
白井「黒島さんは、佐久間・加治川に利用された、と思いはじめている。」
辛島「あー、そうなんですか。」
白井「佐久間追放は、分派をつくったからではない。自分を含めた組織を作っていこうという気がない。錠田の文書の問いかけに答えないで、自ら放棄している。」
辛島「私も人生かけて書こうとしているが、いまだはっきりしないことについて、質問書として書いてきたので、質問事項には答えをもらってほしい。」
この日の論議も、白井が主軸で、白井が忘れていることを月山に確認するかたちで聞くだけで、月山には基本的にしゃべらせなかった。

右記の論議を打ち切る三〇分ほど前に、奥島が来て、少し離れたとなりの座席に座り、白井が渡した辛島の質問書を読んでいた。そして論議打ち切りの後に、(質問には答えずに)「財政担当の任務は、別の人に代わってもらう。」「B会議に参加してもらう。山根にも参加してもらうかもしれない」と通告してきた。あと「この質問書を山崎にも見せるがいいか」と言ってきた。ちなみに、私がWCに立った時に、月山が奥島のいた席に移り相談したと思われるが、勢い込んで、私が、月山の言動について書いてあることに、「絶対自己批判させるからな」と凄んできた。これぞ、「ヤクザ的言動」だ。社会的弱者を「われわれは貧民救済団体ではない。」と、切捨てる白井と、「弱者に寄り添う」のをモットーとする月山には、思想的ズレがある。いや、「社会的弱者に寄り添いはする」(月山)が、「救済はしない」(白井)のが革命党だ、ということか。白井と月山との間には、本人たち自身が自覚しているか否かは別として、貧窮化するプロレタリア大衆についての受け止めと、とりわけその解決方法については、明白な対立があると思われる。白井は「われわれは『革命党』であって、。、貧民救済団体ではない」という、これぞ「反帝・反スタ」のウルトラ原則主義の立場であると言える。かたや、月山は「社会的弱者に寄り添う」ことを吹聴する、社会的弱者への迎合主義者のようだ。月山は「寄り添う」などとよく口にする。その表現の限りでは、己が「社会的階級」から超越していると観念し、東日本大震災の被災者などへのあわれみに基づき、「寄り添う」と称して、励ましやほどこしの慈善行為をする皇室と同じような思想とも言える。月山は、それに何らの違和感を持たないほどに無思想・無感覚なのだ。

二〇一九年二月二六日

第六回　他会議への参加要請

財政会議の会場には、一九時二〇分に着いた私より先に、奥島と室町・横島・沼水が先に来て、計算は済んでいた。私が持って行った書類と現金を受け取った後、奥島・室町から、Bフラクションの会議の会場のメモを渡され「直接行ってくれ。」との指示。月山については、室町にドックして誘導するよう頼んでいた。私が、いつも通り食事をしている時、室町・横島らは私のほうに注視し、「おいしそうに食べるね。」と軽口を叩き見守っていた。

奥島「佐久間・黒江・加治川から、文書は出てこなかった。予定通り進める。」

辛島「連絡もなかったのか。奥島から連絡はしなかったのか。」

奥島「連絡もなかった。ただ、佐久間のかみさんからは、貸していたお金を返してほしいと言ってきている。」

辛島「ん。何のお金ですか。退職金カンパではないんですね。」

奥島「そう。退職金カンパとは違う。（と言い、借金だと明言しながら、返したくなさそうに）検討してから……。」

「B会議には、白井は仕事で出れない。月山が、参加する。この間辛島と論議しているから……。」

そのあとで、奥島は「さっきは白井は仕事でと言ったが、自分のマンションの理事会があって参加できない。」と言い訳した。そして、前回の個別論議で話題となった、第三次分裂の時のことについての話で、分派闘争の時のスローガンや、戦術やらの解明とそれを物質化する形での方針や行動指針について、詳しく語り、あんたがトップだったらどうするかと迫り、まるで、分派闘争のススメのようにも聞こえた。

ファミレスからの帰り際の話。

辛島「私の質問書に対する回答書は、書いてくれたのか。」

奥島「書いていない。」

辛島「じゃ、先ほどの山根文書で代替するということか。」

奥島「そうではない。」

奥島「今度、論議をしよう。」（タクシー乗車で中断）

二〇一九年三月六日

第七回　番外編　B会議論戦記　佐久間否定のための黒田寛一神格化

奥島不参加。田舘不参加（常磐線柏駅での人身事故による電車遅れ。本人ではと心配する振りの川野。夕刻まで連絡なし。かつ、誰も連絡とろうともせず）。

江古田、本吉、田勢、小島、染谷、蒲原、枝名、木柚、室町、川野、Bフラクション以外は山根、月山。

江古田「佐久間問題のBフラクション会議としての区切り、春闘労働者集会他を議題とする。」

まず、江古田が「佐久間らからの自己批判書の提出なかった。勝手に（B会議を）出て行った高尾は、フラクション員として認めない。『解放』を読みたいんであれば、自分で買って読めばよい。」と始める。その後、前回B会議の感想を書いてきた人間（田勢、室町、本吉）が、順に読み上げ、他の人間に感想を言わせる方式で会議進行。

特徴的な発言としては、小島「佐久間はよく知らない。佐久間の組合づくりの問題もある。マルクスは『資本論』でルンプロを否定して、労働時間制の運動をはじめた。」

江古田「佐久間は、土井問題以降も、黒田寛一の指導・指示を撥ねつけている。佐久間の内面は、反黒寛になっている。（前回説明が不足していたが）機関員だから、直接黒田寛一から指導されていた。自分のことを小さい頃から〝神童〟と言われていたと仲間にしゃべる。反省に、組織現実論とか〝のりこえ〟とかが、全く出てこない。」

染谷「佐久間の考えている労働運動の質を考えていなかった。あるプロジェクト会議で論議していたが、佐久間は、今川は立派なリーダーだと言っていた。今川の話を素直に信じている。よく全実存をかけてと言えるな。自分たちの組合運動は、企業内組合とは違う。最底辺の労働者が相手。駆け込んで、解決したら、やめていく人々を相手にしている。

江古田「われわれは、争議解決のためにやっていく……（⁇）」

自分からは発言しない鎌原に対しては、江古田が指名して、ようやく鎌原は「佐久間という人がよくわからない。金だけ貸して変革しない。許せない。」と発言。

幼稚園児並みに手を上げさせて、佐久間弾劾の「全員一致の決議」を上げた。（論議はしないでたとえニュアンスの違いがあっても、議長の江古田がまとめて終わる。なんと、これが、わが内部思想闘争を繰り広げる反スタの革マル派の組織の会議とは恐れ入る。）

一時休憩後、山根文書を読み上げさせて、各自の意見を言わせる。

田勢「組合運動上の方針（E2U）の問題を、組織づくり上の問題からスリ変え、組織建設上の問題にスリ変えている（？　循環論法と言いたいのか意味不明？）」

枝名「運動を通じて組織をつくる。スタ党に代わる党をつくる。・・・組織実践を問題にしない。組合運動上の問題であるかのように切りちじめている。人間変革をしていくことが眼目だ。」

江古田「佐久間は、八七年以来一人、土井と対決してきたと言って、黒田寛一が立て直してきたというのがない。」

辛島「山根文書で、川韮問題の方が大きいとあるが、どのようにとらえているのか。」

山根「川韮は中央指導部の一員であり、フラクション員の佐久間の問題より大きいということだ。」

辛島「問題が大きいと言いながら、川韮問題の内容については述べていないではないか。革マル派組織の指導部が反原発運動の中からわが組織の担い手をつくりだす闘いを否定し、破壊したということではないか。」

山根「指導部内で論議して、川韮は、一人の労働者として再生しようとしている。」

辛島「各フラクション会議では、川韮を呼んで、論議してきたのか。」（これには答えず。）

江古田「Ｃ会議で、半年間以上も論議してきた。」（月山ここには同調）「あんたは、佐久間問題についての態度をはっきりさせていない。」（鉾先を、辛島の佐久間問題についての見解に転じようとしてきた。）

辛島「室町さんに財政会議の時、表明したではないか（忘れたの？）」と言ったうえで、「最底辺の労働者」に関する染谷発言に触れつつ、私の家庭環境と形成過程の話をすると、それまでは「川韮のことを頭でっかちと偉そうなこと書いている」と騒いでいた田勢や枝名らを含めてみな、黙って聞いていた。それまで、今川さんや佐久間さんへの「飲んだくれ」などの罵詈雑言を繰り返し〝元気よく〟はしゃぎ回っていた染谷は、そのあとは一言も発言しなかった。

また、辛島が「質問書」のなかで、一部の仲間が「部屋の提供を受けている」ことについて書いていることについて、（月山の後輩でもある）山根を先頭に「撤回せよ」と迫ってきた。「山崎は、部屋の提供を受けているから言いたいことも言えなくなると言ってるし、事実だから撤回はしない。」と対応したことに対して、「**各成員の金、資産は本質的に組織のもの。**」だからと、いきなりブルジョア社会の単純な直接的否定を言いつのる。（江古田や田勢ら）

その後、楡闘争について、枝名が「既成の労働運動の中でもすごいですね、と評価されている。」などと言いつのり、「左翼小児病的」と辛島が書いたことには、「あんたはもっと柔軟な人間と思っていたが。」という人間主義的な〝泣き落とし〟を図ってきた。

他方、、「佐久間は今川に騙されていることをあんたは認めないのか。」と、辛島に執拗に食下がろうとして、江古田から止められたのが室町である。（この室町の論法で行くと、佐久間は悪意を持った今川に騙された〝お人よし〟にはなっても、反階級的犯罪者として追放できなくなるから、江古田はやめさせたのだろう。）

この時点で打ち切ると思ったので、財政担当からの私の「解任」の件を加えた「質問書」を配った。うけとりにきたのは、江古田、染谷以外の三人。

最後は、江古田が「B会議の結論としては、辛島は佐久間と同罪と認定。」とまとめて、この議題は終わった。（何人かが「（辛島の）一人団交だ。」と非難の声を上げていたが。）

帰りしな、月山は次の「個別論議」の日時を確認し、「一緒に帰らないか。」と誘ってきたが断ると、山根と一緒にしょんぼりして帰っていった。

二〇一九年三月一〇日

第八回　「B会議で挙手させていない」と嘘を吐く月山

参加者は、白井、月山、山崎。（三人は三〇分以上前から、別のコーヒー店で事前打ち合わせ。）
近くのデパートで時間調整して、時刻通り論議の場所に行くと、三人は既に着席してメニューを見ていた。私も着席後すぐに注文。
辛島「質問書への回答は、今日は、もらえるのか。」
白井「回答（書）は出さない。何度も論議している。」

辛島「私には文書で出せと言っておきながら、自分たちは口頭で済ますというのは不誠実ではないか。」
白井「あんたを変えるために、この場を設定しているのは、我々だ。」（余計なお世話というもの）
辛島「なんだ？　この前のB会議と同じか。まるで小学生のホームルームのように、みんなに手を上げさせて、佐久間弾劾の決議をし、佐久間らの追放に加担する。恥ずかしくはないのか。」
月山「そんな決議していない。」（「見届け」人として立会っていたにも関わらず平気でこんな虚言を吐く。）
辛島「嘘つくな。あんたは黙っていろ。それのどこに、黒田寛一の言うわが反スタ組織の生命線たる内部思想闘争や共産主義者としての主体性があると言うのか。私を追及するだけの場なら、『解放』をもらって、食事が終わったら、私は帰る。」
食事の終わった後に、「質問書」の中の「資産家」の援助受けている人が、多額の組織カンパをしている援助者ともいえる佐久間に感謝もせず〝キャンキャン〟騒いでいるとの表現に、山崎が噛みついてきた。
山崎「これはどういうことか。」
辛島「あんたらが、一・三〇C会議での佐久間処分に加担し、佐久間を『ドフーミーだとかドフー…』（こういうときだけ沖縄方言を使う）と、攻撃していたことだ。」
山崎（辛島の指摘には答えずに、山崎は一か月の小遣い帖の集計表を出してきて、いかに自分が節約し切り詰めているかを説明しようとしてきた。）
辛島「見てみるから、そのコピーをいただけないか。」（コピーすることを拒否しただけでなく、自分の言いたい部分だけ見せ、あとは隠すという姑息な見せ方をした。）「あなたのこの集計表にはみんなの、当然佐久間のカンパも入っているのではないか。それなのに、よくも追放処分に加担できたものですね。」

山崎「私の家は貧しかった……」

辛島「だから、それがどうしたというのですか。組織成員からカンパしてもらうのは当たり前だとでもいうのですか。今川さんは組織外の人だから、カンパ（資金融通）する必要ないとでもいうのですか。あなたはカンパしてくれていた佐久間さんや他の組織成員への感謝の気持ちはないのですか。」

（ここらで、白井が助け舟を出そうとして、「佐久間より私の方が多額のカンパをしている。」とか「貧民救済ということなら佐久間よりその辺の福祉団体のほうが多くやってる。」と何回も言いつのる。しかし、そう言われれば言われるほど、山崎は困惑の表情をしていた。この白井の言い方こそ、カンパの額で人を評価するブルジョア的基準の持ち込みであり「親が子の面倒をみる。」という親分・子分関係づくりそのものではなかろうか。）

このあたりで、月山がB会議の話に切り替えた。

白井に至っては、川韮をわれわれの目の届かないところに隔離しておきながら、「川韮は、辛島さんに批判された、自己形成もできていなかった己を変えようと努力している。」などと、「おためごかし」に勤しんでいる始末であった。

辛島「全てのフラクション会議・B会議では、川韮や佐久間を呼んで論議してきたのか。」（これには、誰も答えられず。）

最後に、「全国労働者会議への私の参加は認めないのか。」と聞いたところ、白井は「それについては奥島が伝える。」といって、一七日一八時三〇分に或るファミレスに来てくれと、通告してきた。

二〇一九年三月一二日

第九回　ついに言わしめた名誉の「個別論議」断念宣言

奥島、白井との「個別論議」。（二人は三〇分以上前からきていたようだ。奥島、白井は食事を終わっていた。奥島が白井に約束の時間を聞いていた。おそらく白井が辛島の来る時間を間違って伝えていた。）

私も着席後すぐに注文、食べ終わった後。

冒頭は質問書への回答文書をめぐって前回とほぼ同じやりとりがつづいた。そして、

辛島「春闘労働者集会への参加はどうすればいいのか。」

奥島「あんたは春闘労働者集会に参加させない。革命的フラクション成員としては認めない。組織決定だ。」と通告してきた。

辛島「組織決定というが、いつ、どこで、いかなる理由で、どの組織が決めたのだ。」

奥島「いま、この場でキャップである自分が決めたんだ。党組織の意志だ。革命的フラクションの人たちも自分の主張だけ繰り返すあんたに怒っている。」（オオー！　奥島の〝個人独裁〟の組織の自認。）

辛島「誰が怒っているのか。」

奥島「C会議メンバー（と他の革命的フラクション・メンバー）の全員だ。」

辛島「C会議メンバーの佐久間らを、一部機関員らを動員して、革命的フラクションから追放しておき

ながらよくそんなこと言うよ。」

白井「何回も論議してきて、あんたは『決意』を書いてきてない、口頭でも言ってない。」(奥島への援護射撃のつもりか。)

辛島「なんだ、この前のB会議と同じか。B会議でも何人ものフラクション員が『佐久間はよく知らない』と言いながら、まるで幼稚園児のように〝佐久間弾劾の強い声〟におされて手を上げさせられて、『佐久間弾劾の決議』をし、佐久間らの追放に加担する、こんなのが主体性を持った組織成員といえるのか。こんな組織のどこに黒田寛一のいうわが反スタ運動・組織の生命線たる革命的共産主義者としての主体性があると言うのか。」

奥島は辛島の一・三〇追放処分批判に感情剥き出しにして、こぶしを握り締めて、今にも殴り掛からんばかりの態度までとってきた。これこそ「反論できなくなると暴力に訴える」ヤクザ的対応そのものではないか。

困ったときの山崎だのみ。辛島の「質問書」の中の「資産家」の援助受けている人が、多額の組織カンパをしている援助者ともいえる佐久間に感謝もせず騒いでいるとの指摘に血相を変えて、

奥島『資産家』による援助ではない。カンパしてもらった部屋を使用しているんだ。」

辛島「所有しているのは『資産家』じゃないか。」これには直接答えず。

奥島「私も家は貧しかった。」

辛島「へー、そうですか。貧しいだけの人はいくらでもいた。そうだからと言って何がいいたいのですか。」

奥島「私も父親から殺されかけたことがある。」
辛島「えー、何歳くらいの時ですか。」
奥島「中学二年か、三年の頃だ」（中学生なのに覚えてもいないらしい。）
辛島「中学…、だったらもういい大人じゃないですか。」
奥島「大人??……」
辛島「私が自分の体験もかえりみて問題にしているのは、ミルクも与えられず殺されていく赤ん坊がいるという社会。そのような状況に叩き込まれている中でプロレタリア階級の自己解放をいかに実現していくかということですよ。」
奥島「……」
奥島の対応にまずいと思ったのか、白井が話を変えて辛島の人定事項として、入学年度・年齢を聞いてきた。その後に、奥島が詰問調の「見解表明」要求から言い方を変えて、辛島に「提案」と称して、『解放』読者からやり直さないか」と迫りながら、①「動労」の組織を「潰してきた」こととか、②「こぶし書房」の策動を叩き潰してきたことを自慢げに吹聴したりして、脅し・透かしを繰り返し、あるいは辛島には「あんたは孤立主義だ」とか「合同フラクション会議で日共批判がないと批判するだけで自分では日共批判を書かない」とか「仲間の批判を撥ねつける。革マル派としての共通感覚がない」などと、しつこいばかりに難癖をつけてくるというかたちで時間を費やして態度表明を迫ってきた。
他方、白井は辛島のことを川韮に同情しているだけの「心情主義者」と誤って理解したうえで「相手のことをトータルにつかもうとしていない。」などと批判していたが……。

時間ばかり掛かって「革命的フラクション成員とは認めない」との革命的フラクションからの排除処分についてはは撤回しそうもないので、今後のために、彼らの「これまでの考え方を変える」と表明しろとの要求に合わせて、「これまでの考え方を変える」と表明して「解放」読者として残る道を選択した。
次回は四月一日。

二〇一九年三月一七日

第一〇回　敗北を「転進」とした太平洋戦争時の日本皇軍と同じ強がり

奥島・白井との『解放』配布・個別論議」。（白井は既に注文を終えドリンクを取って座席に着いていた。奥島は私の五分くらい後に店に到着。前回より私が早く来ていたので事前打ち合わせできなかったので困っていたようだった。）私と奥島も着席後すぐに注文、食べ終わった後、野間さんへの「解放」配布についての確認をした。（白井は彼をよく知っていると言っていたが子供がいることは知らなかった。）
前回の高圧的な口調とはうって変わって、
奥島「辛島さんの組織に対する不信感を解消していきたい。辛島さんもこれまでの自分を振り返り、今後どう生きていくか考えてほしい。他のメンバーもできる限り協力していくと言っている。」（と精一杯〝やわらげた〟言い方で。）

辛島「まだ私の質問に対する返事をもらってないから考えようがないが。」
白井「何回も論議してきて、あんたの質問にも答えてきたではないか、質問の後半の分派闘争についてなど。質問の前半についてのことか、それは私にはわからんが……。」（奥島に返答を促したつもりか？）
辛島「白井さんからはかつてみずからが経験してきた分派闘争についてはいろいろ教えていただいたので感謝している。（二人の間に亀裂を入れるために敢えてこう主張したのだが、白井は喜んでいたようだ。）分派闘争を含めた内部思想闘争こそがわが革マル派派組織の生命線であることは理解しているつもりだ。しかし一・三〇のような組織論議抜きの『追放処分』はおかしいと言っているのだ。処分する側の一方的主張だけで処分される側には弁明さえ認めないなんてスターリン以上のやり方ではないか。川韮、佐久間・加治川らも参加させた組織内部論議をやるべきだ。」
奥島「それはできない。（相も変わらず私の提案を拒絶し、川韮問題を楡闘争時の話にすり替えながらも、事実上私の質問事項への回答を開陳し始める。）川韮の一番大きな問題は楡闘争の時、佐久間に自己批判したことにある。高裁判決が出たとき、分析上の狂いはあったが、その反動判決に抗して梅里・笹釜らが闘っていた時、佐久間（と加治川）は『方針が間違っている』と批判した。（なんと「分析は間違うどころか狂っていたが、方針は間違っていなかった」と強弁したいらしい。）そして川韮は『佐久間が言っていることに学ばなければ』などと、闘っている梅里や笹釜らを後ろから鉄砲で撃つようなことを言った。（「闘っているものを後ろから鉄砲で撃つ」なる非難はかつて日共・民青がわが革マル派を攻撃する際に用いた論法そのものではないか。そこに貫かれているものは会社資本（敵階級）への直反射的な怒りから立ち上がり闘っている民衆への賛美と迎合ではないか。既成の労働運動をのりこえる論理を貫くことは放擲せよとでもいうのであろうか。）まして指導部であった加治川は『組織全体が上意・下達の組織になっている』とまで批判した。そして楡闘争を指導していた撫川は、川韮や佐久間・加治川らに頭にきて脳梗塞で倒れたんだ。」（なるほどね。ようやくつながった！　自分たちの仲間であった撫川が思想的にばかりでなく身体的にも「打倒」されたこと、これへの逆恨みこそが奥島らの怒りのαでありωであったようだ。奥島らがよく口にする「佐久間への〝怒り〟がないのか」の怒りの正体の何ともおぞましいものであることか。）

辛島「加治川さんは、楡分会の組合員を学習会で面倒見ていたと聞いていたが。」

奥島「その学習会について、梅里がいろいろ言っていたのに、加治川はうけとめなかった。」

白井「加治川は頑固だ。自分は配布の時に批判していた。佐久間は学生の時から破綻している。」

奥島「革マル派五〇年第四巻を読んでほしい。非公表だったものを表にだしたものだ。」

辛島「わかった。読んではみる。」

今後について、四月三日の野間への「解放」の配布は、白井がやる。辛島への配布は、二週間に一回とすることを確認。当初四月一五日（月）を要求したが、彼らの都合がつかないとのことで、四月一八日（木）とした。私が帰った後、二人は残って打合せをしていた。

「高裁でも勝てると思ってたけど負けてしまった」のが「分析上の狂い」らしい。それでも「方針は間違っていなかった」と強弁するのは、自分達自身が「金銭和解」に方針を転換していることをごまかしながら「闘いのポーズ」を取っているものにすぎない。

二〇一九年四月一日

第一一回　「辛島にびっくりした人が多かった」と言いながら一人の名も言えず

奥島・白井との『解放』配布・個別論議」。（二人は既に食事を終え席に着いていた。）
私は着席後すぐに注文。食べている時に、白井が野間さんへの「解放」渡しについて報告しつつ、これまでどんな話をしてきたのか聞いてきた。彼がアメリカの政治・経済分析に関心が強いこと、地元で米軍基地反対の運動をしていることなどを話す。その後は、奥島が私の仕事についてめずらしく聞いてきた。
いよいよ本題。
白井「(B会議での辛島に対して)『びっくりした』という人が多かった。」
辛島「だれがそんなことといっているんですか。」
白井「参加していた人たちだ。」
辛島「だからそんなこと言っているのは誰なのか。その時私にそんなこと言った人は誰もいない。B会議のメンバーの中には『自分は佐久間のことはよく知らないが』といいながら佐久間弾劾に手を挙げた(主体性のかけらもない)人達はいましたが、その人たちですか。」
白井「(名前を言えず奥島に聞いて)山根は文書を出して『佐久間をよく知らないが、佐久間の文書をよんでおかしい』と批判している(そりゃそうだが山根はB会議のメンバーではない)。錠田が書いている通りだ。錠田の批判に佐久間は『自己批判』を出してこなかった。」（ここでは佐久間弾劾の正当性の話にすり替わっている。結局白井はB会議のだれが辛島にびっくりしたのか言えずじまいで、室町が、佐久間による今川さん分析は甘かったという私の批判に便乗して、「佐久間が今川に騙されたと思わないのか」と追及していたことにすり替えた。）

辛島「佐久間は甘ちゃんで〝お人よし〟だから追放したとでもいうのですか。」

（ここらで白井がピンチと思ったか、奥島が話に割り込んでくる。）

奥島「佐久間は大金を貸した。しかも組織に黙って。これを弾劾しないのか。（結局奥島はこれの一本やり）」

辛島「財政会議のあと、佐久間の今川の認識は『甘ちゃん』だと批判し弾劾した。それでも批判＝弾劾してないと言うのなら佐久間に連絡とってこの場に呼んで論議するべきだ。」

奥島「それはできない。（その理由は決して言わないが）」

辛島「B会議の人たちがびっくりしたというが、枝名が『あんたはもっと柔軟な人と思っていた』と言ったのを除いて、誰も私に何も言わなかった。私は何度でも話に行くから、B会議に参加できるようにしてくれ。」

奥島「それはできないが、次回のこの論議の場に枝名に参加してもらうようにする。（ご都合主義！）」

次回のスケジュール調整中に白井が「連休中でどうか」と聞いたのにたいして、奥島が「連休中はダメ」と言っていた。

二〇一九年四月一八日

第一二回　「人間変革は本人がやるもの、組織ではない」（白井）「相互変革だ」（枝名）

今回の「個別論議」の相手は、白井とB会議の枝名の二名。

辛島「前回の話に踏まえて手紙を書いてきた」として二人に渡す。二人とも熱心に読んでいた。白井は前回よりも体調が悪そうに見受けられた。

枝名「前回の話で認識をあらたにしたことはないのか。」

辛島「特にないけど、何のことか。」

枝名「あんたは、室町の佐久間評価はおかしい、間違っている、というが、そんなことはない。」

辛島「佐久間が紹介した、田舎の人たちの『立派な人』という今川の評価をあたかも佐久間の評価そのものであるかのように間違って捉えているのではないか。」（Bの会議で、私に「あんたは佐久間が今川に騙されていることを認めないのか」としつこく迫ってきたのは室町だった。室町はどうやら佐久間は今川の田舎の人たちと同じでお人よしだと言いたいらしい。これが本当なら「反階級的分子」で「反党分子」とレッテル張りするほどの悪党とは思っていないということのようだ。）

白井（ここで白井が口をはさむ）「佐久間には実体分析がない。オルグ対象の思想性・人間性について聞いたことがない。」

辛島「今川についてはあんたもよく知っていると言っていたじゃないか。」（こう問うと「ああよく知っている」と答える。しかし「あんたはどのように分析し、変革しようとしていたのか。」と問うと「私はよく知らない」と逃げ出すのが、白井である。しかし白井もプロジェクト会議の一員ではなかったのか。）

白井「佐久間は今川の問題を組織に隠して組織に言わない（だから自分が知らない）。」

辛島「黒田さんを先頭に五〇年以上関わってきてもできなかった、川韮や佐久間の変革の総括は、どうなっているのだ。」

白井「川韮の問われていることと、佐久間の問われている質はちがう。」

川韮の変革の破綻について聞くと二人は次のように言う。

白井「人間変革は本人がやるものであり、、組織がやるものではない。」（エセ主体性論）「佐久間・加治川は組織を何のためにどのようにつくるのか、人間的同一性をどのようにつくるのかというように、人間変革のための反省をまったくしない。」

枝名「人間変革とは小ブルからの自己変革ではなく、組織内の相互変革のことだ。」（白井の批判？）

二人ともまずは人間と組織を悟性主義的に切り分けて、そのうえで「人間変革」を論じる。人間変革を論じるにもいかなる人間への変革かは問題にせず、単独での変革か相互変革かとしてしか論じられない。

次回の「解放」配布は、六月五日。

二〇一九年五月二三日

第一三回　プロレタリアート解放と反「貧民救済主義」

今回も相手は白井とB会議の枝名の二名、時間通りに到着した私より遅れて二人が到着した。白井は錠田文書を最初から出して、それについて論議しようとした。枝名は、まず文書を書いてこなかったことの言い訳をする。私のほうから「時間がない」と話して早めの切上げを要求した。

枝名「前回の手紙で大学名を出すのは止めてほしい。」（何で？）「組織暴露になるから。」（ふーん）「前回の話で認識をあらたにしたことはないのか。」

辛島「特にないけど、何のことか。」

枝名「あんたはB会議で染谷に対して、何であんた自身の子供の頃の話をしたのか理由を教えてくれ。」

辛島「それは前回にも言ったように、染谷が『佐久間の労働者オルグは大企業の組合員オルグだった』と散々批判した後、『自分たちは社会の最底辺の労働者を相手にしているんだ』、と偉そうに言っていたがウソっぽかったので、最底辺であった過去の己について話したらいくらかでも心揺さぶられるかと思ってしゃべったんだ。私の話の後、染谷はそれまでBの会議のなかで一番佐久間の非難をしていたが、その後は一言も言わず、私の話に反応し、以後沈黙したではないか。」

枝名「Bのメンバーの中にもあんたと同じような体験をした人がいる。」（誰か）「タクシードライバーの木柚だ。」

辛島「何でその人はその時一言も言わなかったと言っているのか。その人と直に話をさせてほしい。」

白井・枝名「それはだめだ。できない。」（させない。）

まったくのご都合主義だ。一方では「佐久間は内部理論闘争を破壊した」（錠田文書の表現）とのお題目は掲げていても組織成員間の話合いもさせないとは。鬼子母神も恐れ入るであろうよ。

枝名は「返信を書いてくる。」といっておきながら書いてこない。

白井は「現段階の『綱領的文書』である。」と自任する錠田文書を丸ごと認めさせようとしていたが。「あんたが枝名への手紙のなかで書いている『われわれは貧民救済団体ではない』と発言したのは私だ。あんたとは団体の位置づけ、思想が違う。」と、今回は胸を張って自信満々に言い放った。現段階のプロレタリア大衆が貧窮化に見舞われ呻吟している、そのことに心を揺さぶられることもなく「プロレタリア解放」を言うのは矛盾であり、冷血な人間の所作ではないか。プロレタリアの状態の分析抜きにプロレタリアの解放＝革命を語り、われこそは「貧民救済団体」などではなく「革命党だ」と誇らしげに宣揚するのは喜劇マンガではないか。しかも「プロレタリアの惨状」を見ずしていかにプロレタリアを組織化し解放するのであろうか。プロレタリアの解放のためにプロレタリアの惨状を語ること自体があたかも貧民救済主義とその思想であるかのように捻じ曲げて論じるのは噴飯物と言わざるを得ない。

次回の配布について「一か月後にしたい」と言ってきたが拒否。「論議」はしなくとも「二週に一回」を要求。次回、「解放」配布は六月一九日。

二〇一九年六月五日

第一四回　「綱領的文書」をついに撤回す

今回は白井の一名。約束の時間より五分前に到着した私より先にきてすでに食事していた。白井は六月一九日の「解放」の配布をすっぽかしたことを一応謝ったが、その理由を問いただすと、「手帳にはメモしてあったが、カレンダーに転記していなかった」とのことであった。（要するにボケていたとのこと。）

私の食事が来る前に、「解放」を受け取り、次回の日時・場所をきめた。日時は「七月三日を希望にしたい」というのでその日に決めた。場所も変えたいとは言っていたが探していたわけではなく、候補が出てこず結局今回と同じ場所に集合とした。（長引けば場所を変えるとの合意の上で。）

野間さんへの「解放」の配布に失敗した件について聞くと、野間さんが辛島からもらっていた時の曜日と勘違い（？）したと説明していたが……。

その後、辛島が「階級闘争上や、運動上とかで何か変わりはないですか。」と聞いたが、何を勘違いしたのか心臓病で手術をした人のことを（名前は言わずに）しゃべっていた。以上、食事しながらの話。

食事を終えた後、三〇分ぐらい話をした。いつもは持ち歩いている「錠田文書」を出してこなかったので私のほうから切り出した。

辛島「プロレタリア解放の理念も目標もなく、その手段についての構想のひとかけらもない『錠田文書』

のどこが『綱領（的）文書』だと言うのか。」

従来、毎回の論議の場に白井は「現段階の『綱領的文書』である」と自任する錠田文書を持参し丸ごと私に認めさせようとしていた。

白井「確かにプロレタリア革命の戦略・戦術については書いていないが（と批判を認めるかのような振りをしながらも薄ら笑いとともに）、これが今の現状の中での『綱領的文書』だ。」（と言い張るのみだった。）プロレタリア革命の戦略も戦術も全く出てこないものを「綱領的文書」とする組織は、オーム真理教と同様の宗教団体のように思えた。彼らには、内部論議のあり方論、「自己反省の有る無し」を論じること自体が「綱領的文書」として観念されているのであろう。

ここで〝ざれ歌〟一句

枯野派の「内部思想闘争における自己批判」とは
「涙流して謝罪すること」と見つけたり　『新無事（ことなかれ）道』

酒を飲んで暴れる失敗を問われる度に、泣いて自己批判し、指導部として生き残りを図る石切のことを思い出す。昔、実家の後を継ぐのが嫌で、都会に出てやさぐれて「極道」をしていた従兄が、「生長の家」の会合でみんなの前で「謝罪して仲間と認められた」という話を聞いた時のことを思い出す。この「綱領的文書」なるものとその扱いは、無理やり釈迦に「輪っか」をはめられた孫悟空のように、ある固定化された観念に己の思想そのものが縛られグルグルと回転しているものだ、とさえ言えるのではないか。そうして論証抜きにこのエセ「論法」に基づいて、「慮外者」に当てはまると観念した同志にはあらん限りの悪罵を与えて、スターリンと同様に「国外追放や収容者送り」にし、「自己絶対化・正当化」に精を出しているという訳だ。しかもである。釈迦と同じ地位にまで祭り上げられた「黒田寛一」が、半世紀にもわたって行ってきたとされる「人間変革のための闘い」の「頓挫（限界）」が露呈するや、その対象は「われわれ（フラクション員）とは違う場」での、すなわち「われわれ（地上界）から隔絶された場（天上界）」での論議と労働、いわば〝修行〟と称してわれわれフラクション会議（人間界）から隔離させられてすらいるのだ。幼児向け番組「ポンキッキーズ」ではあるまいにこんなウソ涙を流す〝修行〟で人間変革ができると考えること自体、ちゃんちゃらおかしいや、「臍で茶を沸かす」たぐいの話とでも言うべきか。

二〇一九年六月二一日

第一五回　「階級情勢は党組織づくりとは関係がない」、だったらとっとと解散しろ！

とうとうお手上げ・バンザイの降伏宣言――「錠田文書は綱領でも綱領的文書でもない。」

今回の「個別論議」参加者は白井と枝名の二名。一五分前に到着した私より遅れてきた。かなり客がたてこんでいて、近くの向かいの席に山根の奥さんがかなり年配の総白髪の男性と向かい合って何やら話し込んでおり、われわれが食事を終えてからも一時間くらいはその場所で話し込んでいた。

食事が運ばれて来る前に、「解放」を受け取った。日時は話が終わって解散する前に「一か月後にしたい」と言い出したが「そんなに遅いのは困る」と拒否したところ「では郵送では」と言い始めたので「七月三一日に」というその日に決めた。場所も変えたいとは言っていたが、今回も探してきたわけではなく、結局「個別論議」の最初の場所に戻した。そもそも白井には辛島をオルグする意欲も熱意もなくしており「お手上げ状態」となっている。白井は彼いうところの「革命党」の生命線をなす「機関紙配布（個別論議）」を早く打ち切りとしたくてしようがないという態度をあけすけにしていた。野間さんが「階級情勢を知りたいから『解放』を配布してほしい」と言っていることにことよせて「あんたも同じか……」と嘆息していた。裏を返せば「階級情勢」などどうでもよいといっていることになるのだが。これで「俺たちゃ『貧民救済団体』じゃなく『革命党』なんだ。ブルジョア階級を打ち倒し階級社会をなくし共産主義社会をつくるんだ。それを実現するのが共産主義者の党なんだ」、などとよくも言えたものだ。

辛島　（白井が「現段階の革命党の綱領」と持ち上げる「錠田文書」を読み上げようとしたのに対して「先制パンチ」として）「この文書には現段階の階級情勢の分析もなければ<反スタ>も一言も触れてない。これが『前衛党の綱領』なり『綱領的文書』などとどうして言えるのか。そのような発言や位置づけを撤回してほしい。」

白井　「『綱領』とは言っていない。現段階の佐久間問題をめぐる『党組織建設上の基本文書』なんだ。」

辛島　「党の綱領ではない、と認めるんだな。」

白井　「綱領ではない……。」

枝名　（まずいと思ったのか）「そんな話する必要ない」と助け船を出す。（結局、月山の〝お替り君〟としての正体暴露。）

食事後、白井は辛島に確認しないまま一方的に「錠田文書」を読み上げ、その中で私に認めさせたい部分は何度も読んで、「この意味わかるか」だの「ここについてはどう思うか」だのと聞こうとはした。私は「この文書はそもそも佐久間の今川支援の捉え方がおかしい。いや狂っている。それを論議しないで錠田が一方的に決めつけている『組織の在り方や組織人の道徳』について、偉そうにぶっているだけの文書は、〝宗教団体〟の副読本（解説書）と」同じではないか。創価学会池田大作の『人間革命』とどう違うのか」、と言った。これを聞いた白井は〝しめた〟とでも思ったのか、辛島の発言の中に出てきた「人間革命」だけ取り出し、実にうれしそうな表情でメモしていた。おそらくは後で現革マル派内で報告する〝ネタ〟がとれたとでも思って嬉しかったのであろう。

今回、白井は次のように断じた。辛島が「佐久間の今川へのかかわりは組織の決定にもとづいた組織実践ではないのか、現に白井も参加していたプロジェクト会議で取り上げて論議したと言っていたではないか。」と言ったことに対して、白井は「そうではない。佐久間が組織に相談せず勝手にオルグしようとやったことだ」、と答えた。しかもである。白井は、辛島が「運動＝組織づくりの実践をめぐって論議することこそが、革マル派の組織づくりの前提であり根幹ではないのか。」と問うたことに対して、「そうではない。（運動＝組織づくりやその結果に規定された）階級情勢は党組織づくりとは関係ない」と断言した。白井さんよ、あなたは自分の言っていることが分かっているのか。この間何度か「階級闘争上や、運動上とかで何か変わりはないですか」と聞いたが、何の関心も示さなかったのはこういう考え方が根底にあったというこどのようだ。そこで辛島は「そういう真空状態の中で、『同志愛や信頼』、はたまた『人間変革』を論じるのは宗教団体以下ではないか。創価学会の『人間革命』とどう違うのか。」と問うたのである。白井が唯一、反応らしい反応を示したのが創価学会の「人間革命」という表現なのである。これで私はこれまで「貧民救済主義者にして形式民主主義者の反前衛党主義者」に祭り上げられてきたが、今度はさらに「人間革命の宗教家」というキメラにされるのであろうか。ある意味楽しみではある。

ところで、白井がこれまでは「綱領的文書」と吹聴してきた「錠田文書」には、新たな位置づけが与えられた。すなわち、「現段階の党の綱領や綱領的文書ではなく、党組織建設上の（佐久間問題に関する）基本文書」に格下げ（？）された。しかし当初全組織の決定＝見解として、一・三〇の〝追放劇〟に間に合わせようとデッチあげた文書すらもが、正式の産別委員会名は一つしかなく、「有志」だか産別名を騙る幽霊だかを寄せ集めたものでしかないことをつきつきられるや、白井は「そうかも知れないが、すべての産別代表が集まって書いたものだ」と白状せざるを得なかった。いやそもそも白井自身が、佐久間問題が革マル派の「党建設上」の重要問題であるとし、佐久間を批判した「錠田文書」を党の「綱領や綱領的文書」から格下げ（格上げ？）したとはいえ、党組織建設上の「基本文書」であり佐久間ら三人を追放するための文書である、と認めているではないか。

ここで〝ざれ歌〟一句

枯野派の　「綱領的文書」とは　党を僭称する
　個人の「都合で変わる・変えられる」ものと見つけたり

『新無事（ことなかれ）道』
二〇一九年七月三日

佐久間、黒江、加治川らの「追放処分」についての質問状

０．前回の「個別論議」において白井から「あんたの人生をかけて見解を書け」と言われているので、その準備をするにあたって、まだ聞かせてもらってない以下のことを確認させていただきたい。

１．Ｃ会議で「川韮はいかなる場でいかに考えて、かの暴言を吐いたのか」と問うたのに対し、錠田はそれには答えず、「川韮の生きた思想が『タダモノ論』だ」と言い、奥島は「個別論議」において、「川韮問題とは何だと考えているのか。」と聞かれて、「川韮が佐久間、加治川に屈服したことにある。」と言明した。これらについて内容的つながりが不明なので、文書にて明示していただきたい。

２、佐久間が支援した今川さんについては、その「経歴」等を知る限りではあるが、大災害の被災者救援に携わり心を痛め、それを解決するために自ら労働組合を立上げるなどしてきた、「人間的にも優しい」労働者であり、闘う労働者へと脱皮することを促すべき対象ではないのでしょうか。「生活に困窮」していた今川さんを目の前にして、佐久間が組織的に「相談・検討」することなく支援したのは、「甘すぎた」判断と行動だったのではと思います。しかしこの今川さんへの生計費融通を、悪意を伴った「反階級的＝犯

罪的な行為」とまで責められるべき事と言えるのでしょうか。あるいは「資産家」から供出された住宅の提供を受けている人達が今川さんを悪し様に罵り、そして佐久間を弾劾するのはどうしたことでしょうか。これについての是非を提示していただきたい。

3、日本労働者階級の状態は「バブルの一時期」の〃総中流社会〃や、〃ジャパンアズナンバーワン〃とほめそやされた時代はどこへやら、〃第二あるいは第三の敗戦〃ともいわれ、「無理心中」や「乳児のミルクが買えないで餓死させる」などの悲惨な事件が新聞紙上をにぎわせてもいるありさまである。〃大東亜戦争〃前後と「同様（いやそれ以上）の状態」、格差拡大＝貧窮化の現象が出現し、人々の生活をそしてその心をもかき乱していると言えるでしょう。

「仙台ミルク事件」など、かつてのような日本社会であれば隣人の目や助けによって防げていたのでしょうが、かの「新自由主義」路線の下での「自己責任論」の跳梁・跋扈が、かかる状態に何も感じない無感情、無感動の人々を増やしてもきました。こうしたプロレタリア大衆の悲惨なる状態とそこからの〃自己解放の追求〃、すなわち「プロレタリアートの階級的自己解放」を実現するためにこそ奮闘すべきと思いませんか。

すでにして佐久間や黒江らの「意見」を虚心坦懐に聞こうとはせず、加治川にかんしては佐久間を批判しなかったというだけの理由で「処分」し、同志の意見表明の場すら奪おうとしているではないですか。このような一方的な「問責＝断罪」による「永久追放」によっては、わが反スタ運動の弱体化以外の何が生み出されるというのでしょうか。

＊補　第三次分裂を経験してきた白井さん、「分派活動するなら出ていけ」と言うのを聞いて、あなたは何を想起するのでしょうか。あなた自身が当時の「多数派」からそう言われたのではなかったのですか。そしてその当時の「多数派」を打倒するためにこそ、「分派活動」を繰り広げてきたのではないのですか。このような「見解」は、そもそも幾重にも積み重なった理論的誤謬にもとづく誤った見解であると言えませんか。前衛党の内部で活動するからこそ「分派」ではないのですか、仮に出て行ったとしたら、それは「別党」であり、「分派禁止」を党の原則とし、「反対派」を粛清し「抹殺」した時の血塗られたエセ理論が、スターリン主義者らの「分派禁止を絶対化した前衛党組織論」だったことは、私が言わずともお分かりのことだと思いますが。

C会議　辛島翆水

4、「小ブルジョアだって組織化するんだ」これが川韮問題の反省なのであろうか。社会的存在である人々をあらかじめその属する階級や階層に還元して捉えたうえで「組織化する」かどうかを論ずる、これこそ川韮イズムそのものではないか。人を外形的にのみとらえ、その思想的内実には決して踏み込まない、いや踏み込めない方々の放言とでもいうべきか。

かつての同志・枝名への手紙

枝名さんへ

あなたとお話ができたのは何年ぶりでしたかね、とてもうれしかったです。

一九七二年の〇〇大学における、日共の新日和見主義者との激烈な闘いの頃以来のことですよね。七〇年安保・沖縄闘争を武装蜂起主義的に闘い破産したのが、ブント・ブクロなどの小ブルジョア急進主義者でした。彼らとは異なり、「全軍労」ストなどで沖縄人民解放をめざして闘い牽引してきたのが、わが革命的左翼でした。沖縄におけるその拠点・琉球大学の男子寮において、のりこえられて血迷った日共・民青系諸君は町田宗秀君を虐殺したのです。そして〇〇大学においても日共内の新日和見主義分子（ブント・ブクロの武装闘争に煽られた額田某などの六〇年安保ブンドからの出戻りスターリニスト）たちが、反革マル策動の一環として教養部の暴力的制圧に打って出たのでした。その中で私は彼らによる自治会ボックスへの武装襲撃を粉砕する闘いの中で、（プロ野球からピッチャーとしてスカウトされたこともある）金某による至近距離からの投石によって、あわや殺されかけたこともあるのはご存知でしたよね。それとも昔のことととお忘れですか。

枝名さん、あなたも日本のそして全世界のプロレタリアートの悲惨な現状に胸を傷め、「プロレタリアート自己解放」のために闘かってきたのではないですか。その思いも理念も投げ捨てているわけではないですよね。だからあなたは白井さんらとは違って、私に対して同情を寄せたり援助まで申し出てくれているものと思っていますが、ちがいますか。にもかかわらず、どうして、いつから貧窮化するプロレタリアートを「俺たちは貧民救済団体ではない。」などと平然と言って切捨てる革マル派党中央と同じような考えを持つようになったのでしょうか。私たちに敵対した新日和見主義分子やその陰でコソコソと蠢いていた日共党中央盲従分子らの反階級的策動を、たたきつぶすために命がけで闘った若き日のプロレアリア戦士としてのあの勇ましきあなたは何処へ行ったのでしょうか。

B会議に呼ばれて参加した私が驚いたのは、B会議の何人もの人達が「佐久間という人はよく知らないが」と言いつつ「佐久間弾劾」の決議に挙手していた姿でした。なんと主体性のない人たちなのでしょうというのが正直な感想です。しかもその会議には、黒島さんの文書の「佐久間問題が米粒ほどの問題であれば川韮問題は地球大の問題」という展開を勝手に剽窃し、なおかつ捻じ曲げて、「川韮問題は大きな問題だが、より身近で重要な佐久間問題」なる捏造文書を書いて、指導部の言うことには文句は言わずに従え、という態度をとり始めた山根さんも参加していました。その山根さんに「大きな問題とはどういう内容か」と問いただし追求した私に、あなたは「ビックリした」そうですね。そしてまた「あんたはもっと柔軟な人だと思っていた」とも仰っていましたよね。あなたの言う「柔軟な人」とは山根さんのような人、つまり「党中央に文句は言わず従う人」ということですか。それではレーニン亡き後党組織を牛耳り、全世界のプロレタリアートを裏切り続けてきたスターリンとそのスターリン式の分派禁止を党是とするエセ前衛党と一緒ではないですか。あなたが、「レーニンを受け継いだ」と強調していた、人間変革の党を創造しようとした黒田寛一の反スタ魂は、もはやあなたの身体からは抜け出してしまったとでも言うのでしょうか。ほぼ半世紀にも及ぶ黒田寛一を先頭として川韮を変革しようとした内部思想闘争を、。、、あなたはどのように評価・総括しているのでしょうか。これまで白井さんらは「川韮は別の所で論議し、労働して反省を深めている」と言っていましたが、なぜC会議やB会議で論議しないのでしょうか。また先日の三人での論議の場ではあなたは「佐久間はウソツキだ」と強調し、白井さんは「佐久間は真実を言っている」と仰っていましたが、いずれが本当なのでしょうか。また真実の前衛党の創造を目指してきたとあなたは言いましたが、現指導部が「反党分子」と烙印を押す佐久間らの「人間変革」をすることができず、かつ「永久追放」せざるを得なかったのはなぜか、いまだ「人間変革の場」たる「前衛党組織」にあなたが所属していると言うのであれば本当の理由を「指導部」に問いただして私にも教えてほしいものです。

乱筆、乱文、お許し下さい。

二〇一九年八月二九日　辛島翠水

私の自己形成過程についての覚え書き

紙の町の製紙工場の労働者（プロレタリア階級）の父と小作農家出身の母との家庭に生まれて父方の祖父は日露戦争に従軍し、帰国してからは定職にもつかず、彼を丁稚奉公に出した父やその姉妹からの仕送りなどで生計を立てていたようである。その祖父の二男であった父は、戦前は大阪の菓子屋に丁稚奉公させられ、徴兵後は海軍の整備兵として済州島で軍務につき敗戦後復員。その後、上記製紙工場に勤め、そこの労組役員であった時に首切りにあう。その後コンビナート建設に出稼ぎに行き、地元に帰ってからはどこからも正社員では雇用されず、日通いの臨時雇いのまま退職、その後は、地元のイリコ製造（天日干し）の手伝い等をしていた。

無理心中事件。コンビナートでの出稼ぎのあと地元へ戻ってきた父親は、まともに就職もできず絶望し大酒をのむようになり、ある時無理心中を図った。妹が生まれて間もなくのことであったが、母親は妹を背負い、弟と私の手を引いて近所に駆け込んで難を逃れた。私はまだ小学校に入学する前の五～六歳の頃、この時の衝撃から、私は父親に対して恐れを抱き、甘えたりしない人間に育った。

そのこともあってか、私一人で小学校の長期休暇の度に母親の実家に預けられ、叔父の蔵書（小説等）を読み耽っていた。冬季の昼間は寒風吹きすさぶ畑での麦踏み、夏季の昼間はカンカン照りの畑でタバコの葉の収穫、夜はタバコの葉の乾燥の火の見張り番等々の労働の日々であった。たまには遊びとして、夏季の昼間は川での水遊び（魚とり）や山登りにも連れていかれた。これとていわゆる登山ではなく特産の五葉松の種や苗木の採取を兼ねてのもの。母の姉の嫁ぎ先が大規模な五葉松栽培・盆栽農家でもあったので、採取してきたものは叔父さんがそこに収めていたようだ。

小学校、中学校を通じて私はほとんど友達もつくらず、いわゆる部活にも一時期を除いて参加していない。主に一人で海岸の防波堤相手のボールけりや野球バットの素振りをしたり、妹相手にキャッチボールをしたり、後は自宅で本を読んでいた。（ちなみに中学の図書室のほとんどの本の貸出表には私の名前が書かれていたそうである。）そんな私に、おそらくは野球部員であった年子の弟や同級生から聞いて野球部の顧問をしていた教師がスカウトにきた。二年生の後半から（つまり上級生が部活をやめて部員が足りなくなってから）野球部に半年くらい加わり、そして止めた。止めた理由は、既に卒業し高校で野球をやっていた先輩が、先輩面をして指導に来た時に、彼が投げた球を私が軽々と打ち返しホームランにしてしまった。（もちろんまぐれ当たりとは思うが）このことで、彼のメンツをつぶしてしまい、上下関係にうるさい野球部には居づらくなったことと、練習中に目にボールの直撃を食らい負傷したことで野球を続けられなくなったことにある。

友達らしい友達はいなかったと書いたが、相手から誘われて家に遊びにいくぐらいの友人はいたが、そのような家はたいてい中小企業の社長らの金持ちであり、遊びに行けば行くほどみじめな気持ちになるだけであった。彼らは中学進学のために県庁の有る市や都会に転校していった。そうでなくてもある程度裕福な家庭で親からトランジスタラジオなどいろいろと買ってもらっていた同級生もいて、それに触らせてもらったりもしていた。羨ましさややっかみもあったのか、その大人しい友人をからかったり腕力で支配していたこともある。小学校時代は目立たない子供であったように思うが、内心では大人社会（昔から交通の要所にあたり工業や商業が盛んになるにつれ計算高いと言われている土地柄であった）に父親のこともあり反感を持つとともに、子供社会での差別やいじめなどの不条理を見聞きするたびに、学校や社会への憤慨を持ちながらもそれを解決する方途も判らず自分の殻に閉じこもる内向的で、のちに女性の同級生などから「暗くて陰険な」性格と指摘されるような人間になっていたようである。

中学三年生の時、それまでは地元青年団が担っていた秋祭りの主催を私の部落では中学生である私たちでやることになった。そのリーダーに推されて寄付金集めや祭りの段取り、他部落の参加者との交渉などを行うようになった。その祭りの準備に参加して非日常の生活で浮かれ気分となった同じ部落の悪ガキ達が農家の柿をかっぱらってきて農家から学校へ苦情が入った。その指示・責任者であるとみなされた私は校長からこっぴどく叱られた。その時だけでなくその後は行事の式典準備などで騒いでいる生徒を注意しただけで「騒いでいる本人」との濡れ衣をかぶせられ儀式の列から引きずりだされたり、親に告げ口されたりのいわれなき不当な仕打ちを受けるようになり、学校や大人への不信感により強く苛まされるようになった。

家計を助けるためもあって中学生になってからは、NHKの生放送のカメラ等の機材はこび（今であれば労基法に引っ掛かる?）や、コンクリート・ブロックの製造・建設会社のアルバイトもするようになっていた。（この経験が後の□□業務に役立っている面もあるが。）

そのようなこともあってか、いやそもそもその前から私は中学を卒業したら就職し、自立・自活しようと考えるようになっていった。しかしあに諮らんや、校長からは問題児として見られていたが、進路指導の担当教諭（日教組に属する共産党系教師）からは――その教諭の授業中に授業内容について質問したり、自分で勉強してきた意見を表明したりしていたので――「良くできる生徒」とみなされていたみたいで「この子は大学まで行かせるべきだ」と強く主張してくれていたようだ。それにまず両親が説得されて、私もズルズルと何を学ぶという目標もないままに奨学金の試験を受けて、大学まで進学してしまった。

それには、私ら子どもたちが小さい頃は家で和裁を教えていた母親（父親に馴染まない私はその母親のそばに座って近所の若い女生徒に教えているのを見ていたかすかな記憶がある）が、その後自宅隣の地元最大手の製紙工場に勤めるようになり、ある程度経済的余裕が生まれていたこともあるが。ちなみに歌も踊りもできる社交的な母親は、後にその製紙会社の創業者の問題児の孫（後に〝賭博男〟として名をはせた）の養育係として声をかけられたこともあったそうである。

私の大学生活（寮生活）は、革マル派の寮執行部の方針への右からの反発を、私が寮生総会で表明したことにより、その私を批判しひっくり返そうとする連夜のオルグと、それに対抗するかのような日共＝民青系活動家によるほぼ連日の教育学部（一般教養課程はこの学部で受けていた）の学食でのオルグと討論への対応に明け暮れていた。（自分の専門学部の授業においても、教授とはその授業内容についての質疑・討論ばかりしていたような気もする。この教授は後に私が除籍処分にされそうになった時、それを止めさせて自主退学扱いとすることに尽力してくれたと聞いた。）

そのころの私の関心は、「三角帽子」をかぶせての集団的暴力による個人の意思の自由を破壊する中国「文化大革命」への反発と拒絶感であった。しかし、黒田寛一の『現代における平和と革命』を読んで黒田さんの主張する〈反帝・反スタ〉プロレタリア革命への共感と私の「右からの反発」の根底にある小ブルジョア的ニヒリズムの克服こそが必要と認識・自覚させられ、そのような小ブルジョア的な自己の人間変革をなし遂げようと決意し、実践してきたのである。

ベトナム反戦闘争の学外デモに参加し、そこでの機動隊の卑劣で残忍な暴力・弾圧に心底から怒りが込み上げた。愛国党を名乗る右翼団体構成員をデモ隊の中の私にけしかけたり、国家権力の暴力装置たる機動隊が非武装デモをサンドイッチ規制し参加女学生の腹部を集中的になぐり、それを止めさせようとした私たちにも殴る・蹴るの暴行を欲しいままにした。この体験は、「どんな人間でも話し合えば解りあえる。」

と思っていた私の微かな幻想を粉微塵に打ち砕いた。その後は運動への一参加者から組織者へと自らを飛躍させていった。他人と話もできない引っ込み思案の性格をも変革することを自らに課し、県内の労働組合事務所への訪問に取り組んだり、一年生の夏休みの帰省時には他大学の寮自治会にオルグに行くなど実践的に取り組んできた。また所属大学の大学寮自治会の執行委員長として、対当局交渉を行ったり全学中央執行委員会の執行委員に当選したりした。日共・民青系活動家による自治会室での陰惨なリンチにもあった。各学部から選出される中央執行委員に立候補はしたが、他大学への支援のため選挙運動はしないまま当選した。もっともそれはそれ以前の学部祭や学生大会での論議や全学安保反対集会へのクラス丸ごとの決起などを実現してきた実績が評価されていたからであるが。

ブクロ＝中核派派系学生のお子ちゃま「革命ごっこ」、九州大学への応援と西南大ブクロ派のデモ指揮者と同房となったこともある。米軍機の九州大学構内への墜落事故をきっかけに盛り上がりを見せた福岡の反戦闘争、そのような情勢のなかで九州大学への支援に行っていた私は、大学構内から天神に向けたデモの指揮をしていて警察に逮捕され、博多署の留置場に入れられ「取り調べ」という名の転向強要を受けた。その時留置場の同じ「雑居房」に入れられていた西南大のブクロ派同盟員を自称していた活動家はスパイ工作への警戒心とてなく、取り調べの警官との「おしゃべり」を得々として話していた。曰く「中核派は二回デモに行ったら同盟員だ。」と。（何たるルーズな組織なのかと思ったことを思い出す。）

日本共産党の新日和見主義者との闘い。七〇年安保・沖縄闘争を武装蜂起主義的に「闘い」破産したブント・ブクロなどの小ブルジョア急進主義者、彼らとは異なり「全軍労」ストなどで沖縄人民解放めざして闘ってきたわが革命的左翼の拠点琉球大学においてのりこえられて血迷った日共・民青による町田宗秀君を虐殺を弾劾して闘った。〇〇大学においても日共内の新日和見主義分子（額田某などの六〇年安保ブンドからの出戻りスターリニスト）たちの蠢動を打ち砕く闘いを展開した。その中で私は連中による教養部自治会ボックスへの武装襲撃を粉砕する闘いの過程で、プロ野球からピッチャーとしてスカウトされたことのある金某による近距離からの投石によってあわや殺害されそうになったこともある。

ともあれ、以上が私の学生活動家時代の概略である。その後、事情があって東京に出てきて就職し、二〇一一年三月一一日の福島第一原子力発電所の大事故の少し前から、反原発運動に関与し始めた。

二〇一九年四月一七日　辛島翠水

第二期第一回　返書を持参

今回も参加者は白井と枝名の二名。時間どうりに到着した私より先にきてコーヒーを飲み終わっていた。食事のできる店に移動したあと開始。

食事が運ばれて来る前に、「解放」を受け取った。前二回ほどは白井は私をオルグする気力も意欲もなくしていたが、今回は打って変わって枝名に指示を出すなどやる気満々に見えた。なんとも単純なわかりやすい人間であることか。白井言うところの「あんたには見えない上の方」からの指示があったのであろう。私が「こんなに配布が空くのは困る。金返せ。自分で買いに行く。」と言ったが聞き入れず。

前回「階級情勢なんて関係ない」とまで言い切ったことについて追及すると、初めは「そんなこと言ってない」とまるで月山がのりうつったかのような対応をしていた。私が『反スタ２』の二七二〜二七五頁のコピーを突きつけ「ここに展開している組織戦術と党組織づくりについて教えてもらおうと思って用意してきたんだ。ここまで準備させといて……」と抗議するとしぶしぶ自分が言ったことについては認めたが内容については素どうりした。ともあれ『変革の哲学（第一論文）』の学習をしたいと言い始めたので次回から付き合うことにした。

枝名は前からの約束の私の手紙への返書として手書きの文書を持参していたが、それについては論議する気もなく、しかたなく書いてきたという感じで二人に渡すだけは渡しはした。なかみは一二・二六佐久間文書の「抜き書き」のようなものだったのでそこでは論議せずスルーした。かえりに電車の中で見てみると二つの項目があり一つは佐久間文書のまとめで、二つ目に「内部思想闘争をディベートに変質させた」と一言だけ枝名の見解が書いてあった。おそらくこれが私に対する批判なのであろう。自分で勝手に私の内部思想闘争をディベートと規定したり、そのディベートに絡むことができず「あんたはもっと柔軟な人だったと思っていた」とぼやいたりし憔悴していた彼の姿が鮮やかに浮き彫りとなるではないか。自分で自分の首を絞めるとはこのことか。内部思想闘争を心情的一体感を創り出すためのそれとしてしか感覚したり、観念しえない時代遅れの「自己変革なき相互変革」主義者の、その実、お仲間助け合いのエセ革命家とでもいうべきか。今回の処分・排除の突撃隊枝名の発言には要注意。私の出身大学の他学部の同級生や後輩の名前を挙げ牽制していた。

さて、この時にも、「党組織づくりには階級情勢は関係ない」だの「(錠田文書は綱領的文書ではないと認めつつも）現段階の党の基本的文書だ」と言い張って恥じないのが、白井である。前回私が批判した「創価学会池田大作の『人間革命』と同じではないか」については実にうれしそうに「六〇年ぶりに聞いた」と言って喜んでいたものだが。

ところで『変革の哲学』をやるとの話の際の白井と枝名の会話の中で、白井が「相手の主張がどういう構造になっているのかをつかんで批判しないと……」と批判したことに枝名がしきりとうなづきつつ「白井さんは黒田さんから直に指導を受けていたから」と追従がてらに羨ましがっていた様子が滑稽ですらあった。まるで決起したばかりの人とその先輩との会話とでもいうべきか。これが半世紀以上もわが反スタ運動を担ってきた人たちの会話である。今回枝名が佐久間文書をまとめた中で、佐久間の今川さん支援について「自分のそばに置いておくためにカネを貸しただけで、オルグしようともしていない」と非難している。佐久間が「人生かけてオルグしたことのない人間」と染井らを批判しているところを佐久間が何を言わんとしているかについてわからずに、「オルグ」と言う言葉だけで無理やりつなげようとして、「自己変革なき相互変革」主義者の枝名は悪戦苦闘しているようだ。このようなレベルでしかないがゆえに、佐久間文書の字面を追いかけたり、私の文書や発言を分析したとする白井の「辛島は形式民主主義者」にして「貧民救済主義者」であるとのレッテル貼りに一片の疑問も抱かず、追従したりするのだ。「人間変革は組織内での相互変革だ」と言うのであれば少しは自分の頭で考えよ。

二〇一九年七月二九日

第二期第二回　学習はできずじまい

今回も白井と枝名の二名。時間通りに到着した私より前に着席し食事を終えていた。白井はこれまでよりも体調が良さそうに見受けられた。それに比して枝名は、疲れているようにみえた。（今回からは黒田さんの本を開いて学習するということで衝立が有る和食レストラン）

白井はかなり張り切って準備してきたようだ。コピーを何種類もとってきていた。まずは『変革の哲学』の本文に記号記入を開始した。しかし、その後私の食事が来て続けられず。さらには「始める前にこの間の懸案事項をやってからにしよう」とお得意の一人合点の一人芝居を始めてしまう。問題をめぐる文書を当初は「綱領的文書」と言っていたのを途中から「基本文書」に降格させたり、「党建設は階級情勢とは関係がない」と言い切っていたのを訂正せざるを得なくなったりしたこととの辻褄を合わせようとして、同盟建設論の運動面と組織面の悟性主義的解説をはじめた。

ところが、連れてきた枝名がそれとは直接関係のないことを大声でしゃべり白井の思惑をぶち壊し始めた。曰く「激動している世界情勢に、われわれは的確に反応し、『解放』に三〇年間にわたって書いてきたんだ。組合運動でも様々な人々を、いろんな形で組織化し闘いを創り出しているんだ……」。こうして白井がせっかく準備し私に物質化したかったこと、「階級情勢は党組織建設に直結しない。」との論証は吹き飛ばされてしまった。

白井「プロレタリアートの悲惨な状況は切捨ててはいない。組合運動レベルで対応はしているんだ。」

（嘘つけ！　組合運動レベルではやっているだと！　貧民救済レベルのことは「革命党」がやることではないと言い切ったのはあんたではないか。いつから宗旨替えをしたのか。）

枝名「組合運動レベルで対応している。佐久間は組織の外から批判し、文句を言っているだけだ。」

白井・枝名らはどうやら宗旨替えをしたようだ。労働者階級の悲惨な状況を無視できなくなり、労働者階級の病んでいる現実、労働者の疎外された現実、および意識に踏まえてやるということのようだ。しかし解放の主体にいかにして高めるというのだろうか。ちなみに佐久間らの主張・書いていること（一二・二六文書）をまともに検討もせず「ムード的だ」の一言で片付けようとしている。

このあたりで、□□□ユニオンの話として分裂策動で危機になっている、と言い始めたが、私は「ああそう」と受け流した。これに激怒する枝名に、「一方的に決めつけるのなら、佐久間をここに呼べ、連れてこい。そうすれば話をする」と対応。

白井「あんたはわれわれをスターリンと同じ、というが何をもってそういうのか。」

辛島「C会議の場で錠田が川韮を批判して『川韮の哲学は、唯―物―論でスターリンと同じだ』と言い放ったではないか。もし違うというのならなぜそんなことを言ったのか見解を示せとこの間何度要求してもなに一つ出してこないではないか。」そのうえで「一・三〇で、C会議の人数以上に動員し、相手の言い分も聞かず、一方的に非難し組織的に処分・追放しているからだ。」

白井「時間は与えた。言い分を出してこない。行政処分ではない。」（自分でも「ヤクザ的」やり方でおかしいと言っていたことはどうしたのだ。)
枝名「佐久間の一二・二六文書についての見解を書いてこい。」
結局、学習はできずじまい。解散。

二〇一九年八月二九日

第二期 最終討論 収束顚末記

白井と枝名は三〇分近く遅れてきた。
辛島「遅いじゃないか。私は仕事があるのですぐ帰る。」
白井「仕事なら仕方ない。書いてきたか。」
辛島「その前に奥島が書いたものをもらってもってきたか。」
白井「そんなこと確認してない。」(枝名に同意求めるも枝名は返答もせず。)
辛島「書いたものをもらってきてなければ、ここでいくら続けても意味がない。この論議は打ち止めにしよう。」
白井「わかったそうしよう。」(実にうれしそうな顔をしていた。)
白井「(捨て台詞として)一人だとさみしくなるぞ。」(相互変革だの、仲間を創るだのと言うのは一人で自立することもできない弱っちくて小心な己を隠すためだったようだ。)

辛島「平気だぜ、なれているからね。」

「解放」紙代の清算をしようとこちらから言いだすと、白井は「来年度の分は一九〇〇〇円……」と言いだした。それからすると、まだ辛島は「解放読者」扱いのままという考えだったようだが。話を切り換えて今年の残りの四号分として三〇〇×四で一二〇〇円を返させて「解放」紙の件はおしまいにした。

事前に打合せしてきたことと私の対応が予想外だったと見えて、白井と枝名の間で食い違いが発生していた。白井は「辛島はやはり佐久間の信奉者だ」と言い放ち、枝名は辛島に対して「佐久間の文書をあんたは読んだのか、どう評価するのか」と相も変わらずしつこく聞き出そうとしてきたので、「私の考えはこの間何度も表明してきた」として打ち切りをこちらから宣告した。

ほぼ一年間にわたって繰り広げてきた、旧革マル派官僚や下部構成員達との「個別論議」や〃招待された会議〃での論戦の顛末は以上。

ところで、これまでは白井は「プロレタリアの窮状」を問題にする辛島にたいして「あんたは貧民救済団体の思想の持主だ」と口を極めて非難していたにも関わらず、あろうことか近頃になって突如として「俺たちもプロレタリアの窮状には心を傷めているんだ」(これって辛島の「現代のプロレタリアに対する分析も、感性的受け止めも欠如した非人間的な対応」という彼らへの批判に同調する発言ではないか!)、と言い始めた。言うに事欠いて「これは、前衛党とはちがう労組レベルで対応しているんだ」とつじつま合わせをしながら。

ブルジョア社会における「私人」と「公人」とへの「自己分裂」に当てはめるならば「党員(私人)と

労組員（公人）」とに自己分裂した形式主義的で，かつ、ご都合主義的な「仮面」の使い分けのようだ。

ここまで認めるのならば、同志佐久間による「貧窮化し助けを求めてきたプロレタリア」の一人でもある今川さんへの「資金融通」をその手続きの瑕疵や分析上の限界の問題はともかく、「組織規律違反・反党行為」と最大限に非難し「永久追放する」言われは一体どこにあるというのか、答えてほしいものだ。

そもそも彼らには前衛党の党員たる己がいかなる場において、どのような規定性を受け取りつつ自己の意識を二重化、三重化させつつ主体的に活動を展開するのか、とは一切考え及ばないことのようだ。

二〇一九年九月二八日

コロナ危機の超克

黒田寛一の実践論と組織創造論をわがものに

2020年11月10日　初版第1刷発行

編著者　　松代秀樹・椿原清孝
発行所　　株式会社プラズマ出版
〒274-0825
千葉県船橋市前原西1-26-19マインツィンメル津田沼202号
TEL：047-409-3569
FAX：047-409-3730
e-mail：plasma.pb@outlook.jp
URL：https://plasmashuppan.webnode.jp/

ISBN978-4-910323-02-2　C0036

〜〜〜〜〜〜〜〜〜〜〜〜 既刊 〜〜〜〜〜〜〜〜〜〜〜〜〜〜〜

プラズマ現代叢書 1

コロナ危機との闘い

黒田寛一の営為をうけつぎ、反スターリン主義運動の再興を

松代秀樹　編著

定価（本体 2000 円＋税）

ISBN978-4-910323-01-5

Ⅰ　新型コロナウイルス危機との闘い

コロナ危機との闘いを、労働者階級の解放をめざしてたたかおう！
新型コロナウイルスの起源をめぐる〝闇〟
新型コロナウイルス危機と対決するわれわれの思想問題
新型ウイルス拡散による危機を労働者・人民の団結で打ち砕こう！
労働者・人民の統一戦線を結成してたたかおう！

Ⅱ　反スターリン主義運動を再興しよう

黒田寛一亡きあとの主体性なき者たち
官僚統制を撃ち破れ
われわれの分派闘争の党建設論的総括
同志としての同一性を創造するために
粛清と延命――組織指導部の変質
仮説を事実として断定する思考法

Ⅲ　新たな地平での闘いの決意

「ドイツ人もいたで……」父の証言から考える
コロナウイルス危機との闘いにおいてうみだされた思想問題
わが組織を反スターリン主義組織として創造し確立するために

プラズマ出版